小学館文庫

ちょんまげぷりん

荒木源

小学館文庫

〈古来、神隠しに遭いたる人多し。されど神の国のわざを持ちかえりたる者はまれなり。〉

1

遊佐《ゆさ》ひろ子はとても急いでいたので、その男に十分な注意を払うことができなかった。

しかし男のすがたは十分すぎるほど変わっていた。男を見つけたのは友也《ともや》で「あ、昔の人がいる！」と嬉《うれ》しそうな声をあげたのに、「はいはい。でも早く歩いてね」と言いながらいちおう目をやると、まだシャッターがおりたままの「とみや」の前に、なるほど時代劇から抜け出てきたようないでたちの人物が立っていた。

ちょんまげのかつらをかぶり、和服には袴《はかま》をつけている。刀も二本差していたようだった。ようだった、というのは、ひろ子もその男に興味をひかれないではなかったものの、くり返しになるがあんまり急いでいたので、ちらと見ただけで、「あ、ほんとだ、昔の人だね」と友也にはおざなりの返事をして、ぐいぐい手を引っ張るようにその場から離れていったからだった。

どうして急いでいたかというと、おおもとの原因はひろ子自身が寝坊してしまったせいである。いかに前夜、持ちかえった仕事に三時近くまでかかったからといって、保育園の遠足の日に失態を演じた非はもちろん言い訳のしようがない。しかし、残りごはんを丸めたおにぎりとウインナーいため、卵焼きという弁当をでっちあげ、リュックに詰め込んだ段階では、なんとか園での集合時間に間に合うはずだった。ところが、さあ出ようとしたときに友也が「うんこ！」と叫んだ。

「保育園まで我慢できない？」

「むり」

「どうしても？」

「もれちゃうよ！」

友也はその場でズボンとパンツをいっぺんにぬぎ捨てると、ぼうぜんとするひろ子にむきたての桃みたいなおしりを見せながらトイレに入ってしまった。

「どうしてさっきのうち行っとかなかったのよオ」

半べそをかきながらドアの前でぐちったが、「だってしょうがないでしょ。今行きたくなったんだから」と友也は動ずるふうもなかった。彼のトイレは長い。出てきたのは結局六分後で、パンツとズボンをはきなおすのにさらに一分かかった。園に着いた時、ゆり組の一行はすでに大塚駅に向かって出発してしまっていた。

「急いだら、電車に乗る前に追いつけると思いますよ」

留守番の保育士の言葉にぺこぺこ頭を下げながら、ひろ子は友也を連れてまた園を飛び出した。自転車にしなかったのを後悔したが今からマンションに戻っていては余計遅くなる。遠足の行き先は目白のおとめ山公園。大塚駅でつかまえられなかったら、そこまで行かなければならないだろう。会社は完全に遅刻だ。朝イチでいるデータだったから昨日あんなに頑張ったのに。そのせいで寝坊して、こんなことになって、打ち合わせに間に合わなかったりしたら。間抜けの標本じゃないの——。

そんなことで心がいっぱいで、おかしな男になどかまっていられなかったのだ。おかしな男なんて結構いるものだ。特にいまどきの東京で、少々のことに驚いていては身がもたない。侍の恰好《かっこう》をしていようが、ゴジラの着ぐるみをかぶっていようが別に犯罪ではない。どこかそのへんの寺で時代劇のロケでもしていたのかもしれない。寺なんてあるのかどうかよく分からなかったが。

悲しくも、ひろ子が避けたいと願っていた事態は、すべて現実になってしまった。友也ばかりは、ママも遠足にきたといって面白がり、上機嫌だったが、ひろ子の気持は東京湾のヘドロのようによどんだ。上司に罵倒《ばとう》され、またぺこぺこ頭を下げ、ランチに行く食欲もわかなかった。といって落ち込んでいて仕事が減るわけでなく、気がつくと処理しなくてはいけない案件がまた山のようにたまっていた。残業はできない。友也を迎えに行かなくてはならないからだ。一日はどうしてこんなに短いんだろう。

「遅刻しても帰りは定時ってか」

上司のイヤミを耳にしながら会社を出た。疲れた足をひきずり、再び大塚駅前に立ったひろ子の頭に、朝方のおかしな男の居場所などなかった。とみやに立ち寄ってギョーザとレタス、プッチンプリン、牛乳を買ったけれども、男はおらず、ひろ子も何も思い出さなかった。保育園の門をあける前、近くの植え込みのかげにとみやの袋を隠した。お迎えの前に寄り道をするのは、そのほうがいくらだんどりがよくてもご法度なのだ。でも従っていたら、とみやと保育園のあいだを子連れでひと往復余計にしなくてはならない上、キャラクター菓子を買わされる羽目になるのが目に見えている。

園庭に立ったひろ子の姿をめざとく見つけて、友也が飛び出してきた。「お帰り」と抱きついてくる。疲れが、この一瞬だけはすうっと消える。

「遠足、楽しかった？」

「うん！」

「どれくらい？」

友也は両手をいっぱいに広げてみせ、「ママももっといられればよかったのにねえ」と言った。ひろ子は苦笑するほかなかった。

手をつないで、保育園からマンションまで五分ほどの道のりを歩いた。途中で友也が影ふみをしようと言った。

「オレが鬼ね」

この年頃の男の子は、みんな自分のことを「オレ」という。もっと大きな子が使う「オ」から「レ」にむかって尻上《しり》がりになる「オレ」ではなく、「オ」が高くてすとんと落っこちてくるようなアクセントだ。どうしてそんなふうになるのか本人たちに尋ねてもさっぱり要領をえないが、例外なくそうだ。

夕陽を浴びて伸びるひろ子の長い影を、友也は歓声をあげて追いかけた。ひろ子は小走りに逃げたが、車の多い道路を渡るところでわざとつかまり、いっしょに反対側の歩道まで行って今度は友也を追いかけた。友也は懸命に駆けてマンションの玄関に入ったあと、そのままホールを抜けて駐車場になっているピロティーのほうに行ってしまった。もっと遊んでいたいのだ。「もうおしまいよ」ひろ子が声をかけると、けらけら笑ってまた逃げた。

「つかまえてよ。そうしたらおしまいにするから」

あと一歩というところで、友也は車のそばにしゃがみこみ、車の影に自分の影を溶けこませてしまう。

「ずるい」

「ずるくない」

ひろ子はいったんピロティーの柱に身を隠した。こうすれば友也はじれて探しにくる。そこを不意うちする作戦である。

思った通り、友也は車の影から離れて、きょろきょろしながら歩き回りはじめた。少しずつ近づいてくる。ひろ子のすぐ前には、オレンジ色に染まったコンクリートの床が広がっている。ぎりぎりまで引き寄せて、そこに落ちた友也の影をひとと びにふんづけてやろう――。

と、ひろ子は、向こう側に停《と》まった車と車のあいだに、何かがあるのに気づいた。落ちているのか、置いてあるのか。かなり大きなものだ。

「ぎゃっ」

悲鳴がコンクリートの天井に響いた。友也はひろ子を見つけ、嬉しそうにまた背中を見せて駆け出した。が、追いかけてこないのですぐ立ち止まり、どうしたの、といいたげに振り返った。

車のあいだのものが、ひろ子を見つめていた。ものではない、人間が、床にひざをかかえてうずくまっていた。

「あっ。昔の人だ。朝いた人だよ」

いつの間にかそばに来ていた友也が言った。ひろ子は反射的に息子を抱きかかえ、一歩あとずさりしながら目を凝らした。確かにそれは、とみやの前にいたあのおかしな男だった。

「何をしてるんです、ここで」

男は答えなかった。さらに身体《からだ》を縮めて身動きしない。

どうも本格的におかしな奴《やつ》らしい。警察か、管理人に知らせようという考えもうかんだが、かかわりを持たないのが一番だと思った。放っておけばどこかへ行ってしまうのではないか。もしそうでなくとも、誰かが何とかしてくれるだろう。

ひろ子は、男のほうに身を乗り出している友也に「行くよ」と声をかけ、ゆっくり向きを変えた。

「待て、女」

一瞬凍りついたひろ子がおずおずと視線を向けた先に、あげられた男の顔があった。歳《とし》は四十前後だろうか。小さな目に団子鼻、あごはえらが張ってがっしりしている。近頃めったに見ないくらいの泥臭い顔だ。

しかし扮装は、見れば見るほどよくできている。汚れかた、くたびれかたが実にリアルなのだ。かつらがまた素晴らしい。さかやきには、不精ひげのように伸びかかった毛まで植えこんである。

「ここはいったい、どこなのじゃ」

よわよわしく男は言った。

「どこって――東京の豊島区だわ。住所でいったら西巣鴨《すがも》一丁目――」

「何、巣鴨とな」

言い終わらないうちに男が叫んだ。度肝を抜かれる大きな声だった。

「巣鴨に相違ないのじゃな」

「ソ、ソウイないわ」

「ここが巣鴨？　いったいどういうことじゃ。拙者、夢を見ておるのか。化かされておるのか」

なおもうめきながら男は嘆息し、がくりと肩を落とした。

「せっしゃ、だって。お笑いの人でそういう人いたよね」

友也がおかしそうに言った。ひろ子はやはり、警察に届けたほうがいいのではないかと思いなおした。

「あの、何か困ったことがおありだったら、警察に相談してみたらどうかしら。きっとあなたをおうちに連れていってくれると思いますよ」

「警察。それは何じゃ」

「えーとねえ。警察っていうのはねえ。悪いことをした人を捕まえるところだけど、事故の時とかもいろいろ面倒見てくれて——そう、迷子になった人の面倒も見てくれるの。とにかくあなたみたいな人は、まず警察に行くのがいいのよ」

腕組みをしてじっと考え込む様子の男に、ひろ子はあとひと押しだと思い、繰り返して警察に行くようすすめた。

「ね。おまわりさんは怖くないから。きっと親切にしてくれるわ。すぐ近くに交番あるし。私、ついていってあげますから」

「女」

不意に男は太い声を出した。

「お主、何者だ？」

「何者って私はただの」

「いや。ただの女であるはずがない」

男は立ちあがった。その手がさっと腰に伸び、まさかと思ったその瞬間、ひろ子ののどもとに刀の切っ先が突きつけられていた。刀は夕陽を浴びてぎらりと光った。

「そ、それ――」

おもちゃよね、と言おうとしてやめた。本物であることが直感的にわかったのだ。友也がどこにいるのか目で探そうとしたら「動くな」と一喝された。

「いかな化生《けしょう》のものか。狐《きつね》か。むじなか。はたまた物の怪《け》か」

「なんでもないわ。だからやめて」

「ならばそちらもこのまやかしを止《や》めよ」

「まやかしって何のことよ」

「すべてじゃ。ここではすべてが狂うておる。どう考えても現《うつつ》とは思えん。すぐ元に戻すのじゃ」

危ないことはなさそうとたかをくくったのが悔やまれた。せめて誰か通りかかってくれないかと思うのだが、人の出入りの多い時間帯なのにその様子はない。

その時、足にどしんとぶつかってきたものがあった。友也だった。なんてことだろう。せっかくうまく逃げたのに戻ってきてしまったのだ。バカ息子。ひろ子は逆上した。怒鳴ろうとした。しかし、ひろ子の足にぴたりとしがみついた友也を見て声が出なくなった。足に伝わってくるけいれんが、彼の恐怖を物語っている。それでも友也は、ひろ子のそばにいようとしたのだ。

「子供はやめて！」

ひろ子は叫んだ。男はそのままの姿勢でしばらくひろ子と友也を見比べていたが、大きく息をついてゆっくりと刀を鞘《さや》に納めた。ひろ子はしゃがみこんで友也と抱き合った。

「案内《あない》せい」

「どこにですか」

見上げた男は、厳しい目つきのまま「決まっておる」と言った。手も刀の柄《つか》から離れていない。

「お主らの親玉のところじゃ」

「親玉なんていません。私たち、二人だけで暮らしてるの」

「ならば住もうておるところに連れてゆけ」

返答に窮していると、男は鍔《つば》を鳴らして威嚇した。従うほかないようだった。偽って警察に行くのはどうだろうと考えたが、ばれた時のことを思うと怖くてできなかった。

ホールも無人だった。あんまりな間の悪さだ。エレベーターのボタンを押すと、一階にいたエレベーターがすぐに開いた。男はぎょっとしたようだった。

「何じゃ、これは」

ほんとにいったい、この男こそ何なのだ。

「乗ってください。うちに来るんでしょ」

やぶれかぶれになってひろ子は言い、友也と先に乗りこんだ。男は気味悪そうだった。エレベーターが動き出すと、びくりと背筋をふるわせて頰《ほお》を強張らせた。またドアが開いた時にもひと騒ぎしたが、ひろ子はいちいち不審に思うのをやめた。

男は呆《ほう》けたように、八階の外廊下の手すりによりかかって、中庭や遠くの風景を眺めた。ひろ子たちは先に部屋のドアをあけて男を呼んだ。

「いらっしゃらないんですか」

「参る、参る」

男は慌てて走ってきて、薄暗いマンションの玄関をのぞきこんだ。

「うわっ」

腰を抜かしたのは、電気をつけてぱっと明るくなったのに驚いたらしい。それでも男はひろ子たちを改めて先に立て、３ＬＤＫをひと部屋ずつ検分していった。収納のたぐいは全部開けさせ、風呂《ふろ》、トイレまでおおまじめに調べた。蛇口から水が流れ出すのに目を丸くし、リビングではテレビに目をとめて「これは何じゃ」と訊《き》いてきた。スイッチを入れてやると、あんぐり口をあけて画面に見入った。

最後に、寝室として使っている和室に踏み込んで、彼は「お」と小さく声をあげた。ひざをついて畳をなでまわし、押し入れの中にふとんを見つけて「ほう」と言った。

「座れ」

命じられてひろ子は、ずっとくっついたままの友也をかかえるように腰をおろした。男も刀を腰からはずして、きちんと正座をした。その動きはとてもなめらかだった。高校のころ少しだけ習わされたお茶の先生がこんな座り方をしたのを思い出した。

「もう一度訊く。ここはまこと、巣鴨なのだな」

勇気をふるい、ひろ子は男をまっすぐ見返した。

「そうです。あなたに嘘《うそ》つかなきゃならない理由、ありませんから」

「いつから巣鴨はこんなふうになったのじゃ」

「失礼ですけど、さっきからあなたがおっしゃってること、ぜんぜん理解できません。あなたきっと何か勘違いしてる。っていうか、正直ちょっと――」

「無礼者！」

ひろ子は首をすくめたが、今度はそれだけだった。やがて男は視線を床に落とし、

「そうかもしれん。拙者がどうかしてしまったのかもしれん」と悲しげにつぶやいた。

男の言葉は、ひろ子の気持を思わぬ方向に動かした。

おかしいのではないかと自分を疑える者はおかしくない。よく言われることが頭に浮かんだ。そのつもりで男を見ると、目の光、ものごし、いずれもまっとうな人間のそれに思えてきた。芯《しん》が通っているというか、ブレていない感じがする。何といっても子供に刃は向けないデリカシーの持ち主なのを評価しなくてはならない。

しかしやっぱり身なりはおかしい。頭をさっきから仔細《しさい》に眺めているが、かつらじゃないと結論づけざるを得なかった。そういうことを含めた言動がおかしい。強烈におかしい。なのにそれらのおかしさが、すごく自然なのだ。

とにかくこの男についてもっと知るべきではないだろうか。

「ごめんなさい。申し訳ないことを言ってしまったのかもしれないわ。そっちの話をきちんと聞きもしないで」

口調を改めてひろ子は言った。

「あなたにいったい何があったの？　巣鴨にいたのは間違いないんでしょう？　ここは巣鴨よ。駅は巣鴨より大塚のほうが近いけど、まあ似たようなものだわ。にもかかわらず、ここはあなたの知っている場所じゃない。そういうことなんでしょ？　どうしてたらこうなっちゃったのか、説明してくれないかしら」

ところが男のほうは、逆に横柄な態度に戻って「ふん」と鼻を鳴らした。

「思いあがるな、女。お前なぞに何ゆえさような話をせねばならん」

これにはかちんときた。親切で言ってやっているのに。

「申し上げておきますけどね、私、ちゃんと名前がありますからね。遊佐ひろ子っていうんです。そう呼んでいただけるかしら」

「何。苗字があるのか。そこもと武家か」

「は？」

「武家の者であるのかと尋ねておる」

「知らないわよ、そんなこと」

「馬鹿を申すでない。知らぬはずはなかろう」

「はずはないったって、そうなんだからしょうがないじゃない」

「ひろ子の『子』がついておるのは、公家のようでもあるの」

「知りません」

「医者か、寺の者ではないのか？」

「知らないったら」

たまりかねて怒鳴った。

「私が言ったんだからあなたも名乗ってよね。あなたいったい、どこの誰なの」

「ひろ子殿、と申されたな。いずれにせよ百姓、町人にあらざるなれば――」

男は仕方ないというふうに言った。

「拙者も名乗らぬわけにゆくまい。拙者、木島安兵衛《きじまやすべえ》と申す。直参《じきさん》でござる」

直参っていうのは、とひろ子は頭の中の引き出しを探し回った。確かに中学か高校で習っている。そうだ、旗本と同じ意味じゃなかったっけ？　幕府、徳川家に直接仕えている人だ。

いよいよ本格的になってきた。この男、少なくとも心は完全に侍だ。

「ひろ子殿、父上の名は何と申されるのじゃ」

まだぶつぶつ言っている。遊佐をどういう字で書くのかとも尋ねられた。よほど気になるらしい。偉い家柄と思わせておくほうがいいようにも思えたので、そのあたりは適当に付き合いながらもう一度、いったい何があったのか問いただした。

木島安兵衛と名乗った男がようやく語りだしたのは次のようなことだった。

彼はきのうの夕べ、麻布の自宅から板橋に向かっていたのだと言った。麻布に住んでいるなんて大変なセレブみたいだが、江戸時代はどうだったのかよく分からない。

ともかくその途中で巣鴨にさしかかったというのは、地理的にいちおううなずけた。

そのころにはすっかり夜のとばりがおりていたが、月は明るく、稲穂の実り始めた田んぼが海のように広がる風景を照らしだしていたと彼は言った。当時の巣鴨村はそんな土地だったということか。

道の真ん中に、その月の光を受けてきらきら光っているものを見つけて足を止めた。水たまりのようだった。ここのところ雨もなかったはずなのにと思ってのぞきこむと、それは水たまりというようなものではない、相当深そうな穴だった。

さしわたし半間ほどといったから一メートル弱、井戸っぽくもあるが、満々と縁まで水がたたえられていたそうだ。泉のイメージに近いか。その表面に月が映っている様子は、光る玉が沈んでいるみたいだったという。水そのものも澄み通っているが、底は見えない。少しずつ濃さを増す藍色《あいいろ》に沈んで、どこか遠い場所に続いているような気にさせる。前に通った時にはこんな泉はなかった。なんとも奇妙なことだった、と男は言った。

と、その中の月が揺れ始めた。水面《みなも》の揺れのせいだろうと思ったが、風も波もない。一定の間隔を置いて、震えるように大きさが変わる。

「心の臓が打っているごとくでござった」

男の表現である。魅入られるようにそれを注視しているうち、身体は知らず、少しずつ水の上にせりだしていって、あっと思ったら落ちていた。落ちた途端、水が激しく渦を巻いた。声もあげられないまま奥へ引きこまれ、途中で気を失った。

「ともかく騒がしくて目がさめたのでござる。ひどく硬い土というか石というか——の上に寝ており申した。夢を見ておるのじゃろうと思うたでござる。歩いておる者らみな、奇天烈《きてれつ》な恰好をしておる。それからあの動く箱じゃ。騒がしいのはそのせいでござった。人に負けぬほどたくさんおって、すさまじい音をたてながらあちらへこちらへと走っていきおる。いたるところに石の城が建っておるのにも驚いたが、ふと振り返って拙者、あやうくまた気を失うところでござった。いやはや、天にも届きそうなあの城。いったい何でござるか」

やがて彼の言っているのが、とみやの隣に何年か前にできた三十階建て高層マンションだと分かった。ひろ子たちが今朝見かけたのは、そうしたもろもろに圧倒され、混乱しきってその場に立ちつくしていたところだったということらしい。

男はともかく、あたりを調べてみた。もそもそと歩き出したちょんまげ男はパンダ並みに人目を引いたはずだが、格別とがめられることもなく、大塚駅の北口界隈《かいわい》をうろつきまわった。見るもの聞くもの、ひとつとして彼を驚かせなかったものはない。

とりわけて――といったのは、石橋の上を轟音《ごうおん》とともに走りぬけた「銀の竜」、すなわち山手線だった。わななきながらなお数々の衝撃を描写しようとするのを、ひろ子はとどめて話を先に進めさせた。

ほんの数時間、空間的にもせいぜい一キロ四方程度の探検だったようだ。それでも彼はぐったりしてしまった。確かに精神の疲れは肉体の疲れより時にはるかに大きなダメージをもたらす。はりつめていた気持が限界をこえると、立っているのもきついほどになって、彼は休息できる場所をさがした。奇妙な城がせせこましくひしめき、空がきりきざまれたように感じられるここにも、草木を植え、勝手に座ってよいらしい台をならべた庭のようなものが点在しているのが見つかった。逆にそのほかは街じゅう地面が黒い石でおおわれ、土を見かけないのが、信じがたかったけれども――。

だが公園も安らぎの場所にはならなかった。ひろ子もそうだったように、見てみぬふりにたけた人々は、誰も彼の歩き回るのをとがめなかったが、好奇と不審をふくんだ視線を男の背中にまとわりつかせることはやめなかった。ベンチにたたずむホームレスさえ、この奇妙な男を認めると仲間同士で目配せしあい、遠巻きにひそひそと聞き取れない言葉を交わした。

彼はさまよい続けた。犬にほえられたり、子供たちにはやしたてられたりもした。

ひろ子たちのマンションの前を通りかかったのはそんな折だった。歩道から駐車場が目に入った。例の走る箱がいくつも置いてある。それが人の乗り物であり、乗っていない時には動かないらしいことはぼんやり理解できていた。とすれば、あのあいだに身を潜めても危険はないだろう。どこでもいいからしばらく隠れていたかった。人目のないのを確かめ、さっとピロティーに駆けこんだ。

「どれほどか、そのままじっとしておったのでござる」

「そこに私たちが来たってわけね」

「左様でござる」

ひろ子はふーっと息をついた。引きこまれて一気に聞いてしまった。もちろん、はいそうですかと信じるわけにいかないが、男の話しぶりはそれくらい真に迫っていた。担ごうとか、からかおうとかしているのでないのは確かに思えた。

どうすればいいのだろう。

その時、きゅるきゅると情けない音がした。見ると男は、真っ赤になって歯を食いしばっている。しかし彼のお腹《なか》は無情にも、そのはしからさらに大きく鳴り出した。

「朝から何も食べてないってわけね」

「め、面目ござらぬ」

「分かったわ」

ひろ子は立ちあがった。

「ありあわせだけど仕度するから。続きはそのあとにしましょう」

これだけ聞いておいて、ただ放り出すわけにいかないだろう。そう腹をくったのだ。

「ただし変なことしたら、って意味分かりますよね。即、警察だから。さっき言った悪い人を捕まえるところね」

「奉行所でござるな」

話が早い。しかしここはせいぜい脅《おど》かしておいて損はないと思った。叫べばたちどころにやってくる、逃げようとしても走る箱で地の果てまで追いかけてくると、いささかの誇張をまじえて話すと、安兵衛は真剣な面持ちで聞き入った。

「それでね、刀はこちらに預けてほしいの」

「これは武士の魂でござる」

「そうなんでしょうけど、さっきみたいな思いをするのはもうご免なの。それにあなたも見たでしょう。ここじゃ誰もそんなもの持ち歩いてないわ」

安兵衛は渋っていたが、刀を持っていること自体が警察の取り締まり対象だと説明し、こちらがより効果があったかもしれないのだが、でなければ食事をさせない旨言い渡すと、しぶしぶ太刀と脇差《わきざし》を手渡した。ひろ子はそれらをたんすの上にあげ、料理にとりかかった。もっとも料理というほどのものではない。さっき買った出来合いのギョーザを焼き、炊いて冷凍してあるごはんをレンジにかける。あれだけの目に遭いながら、バッグといっしょにスーパーのレジ袋をずっと離さずにいたのがおかしかった。ギョーザは三人で分けるとちょっと寂しくなりそうだったが、冷凍庫にはやはりチンするだけのコロッケもストックされている。レタスのサラダを添えるとどうにか恰好がついた。

「さ、どうぞ」

「何でござるか」

食卓についた安兵衛は、おそるおそる箸《はし》でつまみあげたギョーザをためつすがめつした。さらにそれを鼻に近づけてへきえきした表情を見せた。ところが思いきったように一つをほおばったとたん、その顔はぱっと晴れやかなものに変わった。

「こ、これは——」

グルメ番組のリポーターに見習わせたいような、作ったところのまったくない「おいしい顔」だった。それから彼はものすごい勢いで大皿に箸をのばした。腹が空いているせいはあるだろうが、見ていて気持がいいほどで、ひろ子は自分の分の大半が食べられてしまうのを黙認した。コロッケに対しても、安兵衛の熱狂ぶりは同様だった。

手抜きもいいとこなんだけど――。

ひろ子はいささか複雑だった。忙しさにかまけて、友也にもまともな手料理をつくってやるのは週に一回あるかないか。だがそれは、友也のほうでこの種のカンタン食を喜ぶせいもある。何しろ彼の好物といったら第一はレトルトカレー、それもいかにもキャラクター使用料のぶん中身のけちられていそうなお子様カレーを出しておけばごきげんなのだ。カップラーメン、カップ焼きそば、インスタントのポタージュスープ、ちょっとは普通のものも食べなさいと言うと、ゆで卵、ソーセージ、せいぜい今日のような半できあがり製品がリクエストされる。この男の味覚は、子供並みなのだろうか？

食事も終わりに近づいたころだった。その友也がふいに言った。

「今、何時？」

彼は家に戻ってきてから、ずっとひろ子のそばにまつわりついていて、ほとんど口もきかなかった。安兵衛に刀を突きつけられたのがよほど恐ろしかったのだろう。無理もなかったが、腹が満ちてきた安兵衛は見るからに雰囲気が穏やかになってきて、それが友也にも伝わり、緊張が解《と》けたらしかった。

「七時五十分よ。けっこう遅くなっちゃったわね」

ひろ子も励ますように明るく返事をした。

「あら、どうしたの」

友也の肩が小刻みに震え、口はへの字に結ばれている。これは泣き出す前触れだ。だんだんその口が、ゆがんだ四角に開いてきて、二等辺の台形になり、「うえーん」と来る。

「どうしたのよ、急に」

訳がわからないでいると、しゃくりあげながら「ポケモンが見られなかった」と訴えてきた。

「あー、ご免ね、忘れてたわ。っていうか、今日はいろいろあったし」

ますます泣きじゃくる。ひろ子は舌打ちした。

「どうしたのでござる」

「テレビよ。ポケモンっていうアニメなんだけど」

「てれび？　ぽけも？」

「さっき動く絵の映る箱があったでしょう。それでこの子が楽しみにしている番組やってたんだけど、見られなかったって泣いてるのよ」

「もう一度見ることはできぬのでござるか」

「ビデオとってたらよかったんだけど」

「でお？」

いらいらしてきてひろ子は胸のうちで悪態をついた。

「ご免なさい。今ていねいに説明してられないわ。友也。しょうがないでしょ。我慢して」

「だったらさ、テレビ見られなかったんだからさ、ポケモンカードやってよ」

「えーやだよ。ママ、これから後片付けしなきゃなんないし」

「やだ！」

「ママも困るなあ」

また泣き声の激しくなった友也を前に、ひろ子はため息をついた。と、安兵衛がおずおずと言った。

「拙者ではいかがでござるか」

「あなたが？」

もう破れかぶれだ。食事までさせたのだから、それくらい構わないだろう。もとはといえば彼の責任なのである。思わぬ展開に引き気味の友也を、安兵衛といっしょにリビングに追いやった。もっとも、皿を洗いながら二人の様子に目配りは怠らなかった。何しろポケモンカードというやつは実にややこしいのだ。ひろ子も何度かキレそうになった。安兵衛にそんな兆候がみられたらすぐ飛んでいかなければならない。

「いい？　まずオレが一枚ひくでしょ」

「で拙者は、この札に書いてある技をかけるのでござるか？」

「違う。場に出してまだワンターンしかたってないでしょ。まだ技はできないの。つぎはオレのターン」

「これは失礼いたした」

安兵衛は謝りどおしである。しかし投げやりにはならず、いちいち友也の教えを乞いながらゲームを続けている。

案外辛抱強いじゃないの。ちょっと安心してひろ子は皿洗いに専念した。そしてそれがいつもよりずいぶん楽なことに気づいた。いつもだとあれをしろこれをしろ、テレビを見せておいても、今のはどういう意味だの、面白いところだから見にこいだのと、しょっちゅう呼ばれて作業が中断する。はねつければ向こうからやってきて邪魔をする。そういうことがまったくないのだ。皿洗いが終わっても何だか物足りず、前から気になっていた換気扇カバーを交換したうえ、クレンザーでガス台のまわりまで磨いてしまった。

　ぴかぴかの台所でお茶を淹《い》れてリビングに運んだ。友也にはプッチンプリンをやったが、安兵衛が興味深げに見ているのでもう一つ出した。

「これはまた何とも――」

　二口ほどで飲みこむように食べてしまったあと、感に堪えぬように彼は言った。言いつつなお名残惜しそうに唇のまわりをなめている。

「まこと、雲の上にて天人の奏楽に身をまかせておる心地がいたす。かように甘くとろける美味、かつて味おうたことはござらなんだ」

「どういたしまして」

　苦笑しながらひろ子は答えた。

「ポケモンカードも面白いでしょ」

　友也に促されて「うむうむ」と安兵衛はうなずいたが、「正直、ひどく難しゅうござる。友也殿は神童と申すべきでござるな」とつけくわえた。

「それにこのけものどもはいったい何でござるか。やはりここは、この世ではないのではござらぬか。人ばかりは身なりを別にすれば同じようじゃが、このようなけものは拙者、見たことも聞いたこともあり申さん」

つぶやきながらカードをしげしげ眺めているので、ひろ子は噴き出した。

「木島さん。そんなのここにもいないわ。そのアニメを考えた人が勝手に作ったのよ」

「そうなのでござるか」

「そうよ。動物は木島さんのいた世界と変わらないはずよ。ここは日本だもの。昔は江戸と言っていた東京の、巣鴨よ」

「昔は江戸と言っていた？」

ひろ子はうなずいた。この男の突拍子もない思い込みにいつか自分も引き込まれていたのである。

「あのね、木島さん」

「続きやって！」

友也が叫んだのをひろ子はたしなめた。

「ママはおじさんにお話ししてたの」

「だってさ」

「言うこと聞きなさい！」

友也はふくれて一人でカードをいじくりはじめた。泣かなければ拗《す》ねる。放っておくより仕方ない。

「ねえ、木島さん。今年は何年？」

けげんそうに安兵衛は答えた。

「文政の九年に決まっておろう。それが何か？」

「文政ね」

ひろ子はバッグからノートパソコンを出して電源を入れた。ルーターにつないでインターネットの画面を立ち上げる。

「それもてれびとやらでござるか」

「ちょっと違うわね。また説明するわ」

「年号」と「西暦」のキーワードで検索をかけると対照表を載せたサイトがいくつかヒットした。中から適当に選んで開き、文政の項を見る。

「文政九年。一八二六年ね」

きょとんとしている安兵衛に説明をする。

「年の数え方には文政何年とか、元禄何年とかのほかに、西暦っていうのがあるの。これはずうっとひと続きだから、比べるには便利。その西暦でいうと文政九年は一八二六年なの」

「分かるような分からぬような」

「でね、ここでは、っていうのは私たちの世界ではってことだけど、今、西暦の二〇〇六年なの。つまり文政九年より百八十年あと」

「やっぱり分からぬ。冗談ならやめてもらいたい。拙者が相当のあいだ気を失《うしの》うておったとしても、百八十年というわけはござらぬ」

「そうでしょうね」

「ならひろ子殿の言うようなことはありえぬではござらぬか」

「でも木島さんが言ってるのはそういうことなのよ」

「馬鹿げてござる」

「私もそう思うわ」

その先を言うのにひろ子は心の痛みを感じた。

「木島さん、あなたは江戸のお侍なんかじゃないのよ」

「では何なのでござる」

「分からない。やっぱり警察に行くのがいいと思う。警察なら調べてくれるわ。ご家族から届けが出ているかもしれないし」

「拙者の母は警察というところなど──」

安兵衛は言いかけてやめた。

「拙者が思っておることは何もかも本当ではない、と」

その口調は悲しげだった。

「ごめんなさいね」

「いや、ひろ子殿が謝られることはござらぬ」

安兵衛は居住まいを正すと、ひろ子に向き直って床に手をついた。

「今日の恩義、決して忘れ申さぬ」

「警察までついていってあげるわ」

「いや、それには及び申さぬ。道さえ教えていただければ」

そう、とひろ子は答えた。それ以上に強いるのはいかにも一人前扱いしていないようで、安兵衛の心も傷つくだろうと思ったからだった。彼は立ちあがると、たんすの上から刀を下ろして腰に差した。警察に持っていくのはまずいような気もしたが、それも口をはさむのはやめた。

「ねえ、おじさん帰っちゃうの」

ふてくされていた友也がおずおずと近づいてきて言った。

「そうよ、おじさんもお家に帰んなきゃね」

「また来てくれる？」

「そうね、またね。いつになるか分からないけれど」

可能性は小さいだろうと思われた。安兵衛の身元が分かったとしても、ここまで症状が重くて簡単に正気に戻れるのかどうか。今もどこかの施設から逃げ出してきたのではないか。これから先もずっと、閉じ込められて暮らしていかなければならないのではないか。可哀想《かわいそう》なひと——。

「しからばご免」

せめてとひろ子と友也は玄関ホールまで一緒に行った。ほんの二時間ばかり前に通った時は安兵衛と出くわしてしまった不運をのろっていた。けれど今はなぜか別れが惜しかった。酔って帰ってきたマンションの住民が、三人のそばを通りすぎざま無遠慮な視線を投げかけてきてむっとさせられた。

「道、分かりましたよね」

ああ、と安兵衛は教えた通りに復唱してみせた。

「おじさん、今度はデュエルマスターズのカードゲームやろうね」

安兵衛は笑顔を作ったが、そのまま深々ともう一度頭を下げると素早く後ろ向きになり、無言で歩き出した。二十秒ほどでその背中は緩くカーブした道沿いの建物に隠れた。

「さ、そろそろ寝る仕度しなくちゃね」

友也を促してエレベーターに乗りこみながら、ひろ子は胸のうちで自分に言い聞かせた。私の手に負えることじゃなかったわ。こうするしかなかったのよ――。

2

ひろ子の会社は淡路町にあった。大塚駅から山手線で池袋、地下鉄に乗り換えて二十分弱だから、通勤としては恵まれているほうかもしれない。さまざまなシステム開発を請け負う、業界では中堅どころだろうか。ひろ子はいわゆるSE、システムエンジニアというやつをやっている。

システムエンジニアリングと、耳にはしても何なのかはっきり分かっていない人が多いはずだ。仕事をするシステムをつくること。それが本来の意味だ。昔だったらそんなものは、それぞれの仕事をする人が考えればよかった。ところがコンピューターが普及し、IT技術も目覚しく進歩して、そうも言っていられなくなった。効率的なシステム作りにはコンピューターが欠かせないが、誰もがコンピューターにくわしいわけじゃない。

コンピューターは年々高性能に、複雑になる。どの業種も、それをどんどん取りいれてシステムを更新しつづけないと競争に負けてしまう。よってSEの仕事も決してなくなることはなく、近頃の花形職業ともされている。だが、内部に身を置いてみると実態はそんなにばら色じゃない。駅から徒歩四、五分、靖国通りから一本入ったビルの三、四階がその会社「イートン」のオフィスだった。四階が社長室といくつかの応接室、会議室、三階のほうはワンフロアぶちぬきの大部屋で、三十ほどの机が並べられている。その半分ほどはプログラマーの縄張りだ。彼らの机はひとつずつまわりをついたてで仕切ってある。入口から数えて三列目に位置するひろ子のはそうではない。彼女は、もちろんある程度の知識を持っているけれども専門のコンピューター技術者ではない。クライアントの要望を聞き、システムを提案し、それをプログラミングする段取りを整える。ソフトが完成したら、その動作を確認し、納品する。納品後のメンテナンスもやる。そういう仕事なのである。

　ここのところひろ子が手がけているのは、某薬局チェーンから注文を受けたプロジェクトだった。前から使っていた売上げ管理ソフトが、店舗の増加や扱い品目の変更で規格が合わなくなってきたのを手直ししている。プロジェクトといえばおおげさだが、チームの専従構成員は二人。遊佐小隊長とプログラマーの田中基彦《たなかもとひこ》だけだ。

　提案したシステムにこのあいだＯＫがとれたので、ひろ子はプログラミングの設計図といえる仕様書作りにとりかかっている。あのおかしな男にふり回された日も、友也を寝かせつけた後作業をした。毎日コツコツやるしかないのだ。バッグの中には昨晩仕上げた分がファイルにして入っている。それをつかんで部屋の奥へ行った。

田中はモニターに向かっていた。この男はほんとうにいつでも会社にいる。住みついているのではないかと思えるくらいだ。しかし、会社でコンピューターをいじっているからといって仕事をしているとは限らない。

「おはよう」

ちらとひろ子に目をやると、田中は「あ」とだけ言ってまたモニターに視線を戻した。

いつも着ているオレンジだかベージュだかのTシャツは、ところどころ生地が薄くなってまだらに見える。その上のあぶらじみた髪に埋もれたような顔はぶよぶよとふくれて、食い込むように黒いメタルフレームの眼鏡が載っかっている。

彼の後ろに回った。案の定、モニターに映っているのは、何かのゲームらしいCG画面だった。コウモリの舞う空に中世の騎士が守る城が建っており、その中を、無表情な童顔とはちきれそうなバストのお姫さまがちょこちょこ歩きまわる。

「これお願いするわ」

「そこ置いといてくれますか」

もう顔を動かすことさえせず田中は言った。

「昨日お願いした分はどうなったかしら」

「まとめて片付けときますよ。いっぺんにやったほうが早いんです。仕様書も小出しにしてもらわないほうがいいんだけど」

好きで小出しにしているわけではない。一気に血圧が上がるのを感じながら、こんなガキ相手にムキになってどうすると自分をなだめた。

「できるだけ早く、ぜんぶ上げるように努力するわ。悪いけど、とりあえずできるところからはじめといてくれないかしら」

返事を待たずにひろ子は踵《きびす》を返した。答えが戻ってくる確率はとても低いし、そうなったらなったで、余計いらいらを募らせるだけと分かっていたからだ。前にちょっといっしょに働いたが、ずいぶん嫌な思いをした。それでも二人きりでないだけ逃げ道はあったのだ。今回は最悪だ。

愚痴ってみてもはじまらない。デスクに戻ってメールをチェックする。作業の一部を外注している事務所からのもの、社内連絡、機材の貸し借りをめぐるやりとり、予算関係、さまざまなソフト制作ツールの宣伝。どうってことないものが大半だが、数はタイトルの一覧がモニターからゆうにはみだすだけ来ている。たいした内容がないからといって、放っておいていいわけでもない。

　頭からひとつずつ処理していく。一時間以上かけてようやく終わりに近づいたころ、かろやかな着信音とともに新しいタイトルがリストに現れた。クライアントからだ。これは先に見なくちゃとさっそく開いてひっくり返りそうになった。

　旧システムとしばらくのあいだ併用できるようにしてくれ？　今さらそんなこと言われたって——。

　向こうは簡単に考えているらしいが、今の仕様は、旧システムからデータをそっくり新システムに移して使うことを前提に考えられている。もし併用するとなると、根本からのやり直しになってしまうのだ。

　慌ててクライアントに電話をした。担当者は不在だった。携帯の番号は教えてもらえず、折り返し電話をくれるよう伝言して、いらいらしながら待った。電話がかかってきたのは昼も近くなってからだった。ひろ子は仕様変更が難しいことを懸命に説明した。相手はおおむね話をのみこんだようだったが、了解したとは言わない。奥歯にモノのはさまった言い方でのらりくらり逃げた。

「実は、社長に訊かれて、大丈夫ですって言っちゃったんですよ」

　問い詰められて、とうとう相手は白状した。

「じゃあ、私、これからうかがいますから、社長さんと話させてもらえませんか」

「いやーそれは困っちゃうな。私の立場的にねえ――」

繰り返し頼んだが譲る気配がない。完全に膠着《こうちゃく》してしまった。ひろ子は、こちらも上司と相談すると言っていったん電話を切った。

プログラマーたちがいるのとは別な側の奥に、ほかのデスクと切り離され、大部屋全体を見渡すように置かれた机がある。机自体も少し大きい。常務・マネージャーの城崎敦士《しろさきあつし》の席だった。開発部門の責任者であり、ひろ子の定時退社に毎日嫌味を言う男である。創業時からのメンバーらしいがこの種の企業だからポジションのわりには若い。ひろ子といくつも違わないはずだ。もともとのスタイルは大したことなさそうだが、チェックの派手なスーツに包まれた肉体はフィットネスクラブ通いの成果でよく締まっている。近づくと微《かす》かな香水の匂いが漂う。ささやかなIT成功者といえるだろう。

「その話は契約の時にしてなかったの？」

「ええ。とにかく切り替えってことだったので。向こうも考えてなかったはずです。併用期間がどうなんて、今度はじめて出てきたんですから」

「しかし、文書にはしていなかったわけだな」

嫌な予感がした。

「でも常識的に——」

「常識は人によって違うんだよ。こっちの常識はこうだって言われたらどうしようもないだろ」

決めつけるように城崎は言った。ひろ子は懸命に食い下がった。

「向こうの担当者も急な変更だって認識はあるんです。受けるとしても、もうひと月くらいもらってください」

「工数を追加していいんなら構わないよ。でも、納期を遅らせた上、追い払いなんてすんなりのむかねえ」

城崎としては、会社に入る金が減る事態は避けたい。ひろ子たちがひと月余計そのプロジェクトにかかれば、その分ほかの仕事ができなくなる。サービス残業で乗りきれるなら、クライアントの機嫌を損ねずにすんでずっと得だとそろばんをはじいている。

「何とか頼んでみますから」

「まあ言ってみるだけならいいが、だめだったらあきらめるんだぞ」

しつこく城崎は釘《くぎ》を刺した。

ひろ子は会社を飛び出した。アポなどとっていたら逃げられるだけだ。直接クライアントの本社に乗りこみ、担当者との面会を求めた。幸い在席していた。今度は徹底した下手《したて》作戦で相手を責める言葉は口にせず、平身低頭してこちらの窮状を訴えた。ついに根負けした担当者から、ほかの機能をバージョンアップすることにして、若干の工数追加と納期の延長を社長に了承させるという妥協案を引き出した。

本音を言えばそんなものでは到底足りない。しかし同じ納期で仕様だけ変更させられるよりはるかにマシだった。きつくはなるが、どうにかやれると判断して、ひろ子はその案を受けた。会社に戻って城崎に報告。こちらは条件の中だったから問題なかったが、田中が食ってかかってきた。

「どうすんですか今までやった分。まるまる無駄じゃないですか」

ほとんど手ついてなかっただろ。まるまる無駄になったのは私の仕様書だよ。

「誰のせいでこんなことになったんですか。説明してもらわないと、俺、納得できませんからね。ばかばかしくてやってられませんよ。また同じことになったらどうすんですか。ならないって保証もらわないと、仕事、しませんから」

ところが、城崎に同じことを言わせると田中の態度はころりと変わる。

「分かりました。仕方ないですもんね。チームですから。大変なことになっちゃったけど、僕も精一杯頑張らせてもらいます」

ひろ子の不手際を強調することはもちろん忘れない。いったいどういうんだろう。怒りを通り越してあきれてしまうのだった。

こんなもろもろを振り払うように、ひろ子は突き進んだ。新しい仕様作りのための資料を集め、必要なアプリケーションを洗い出した。社内にあるものは確保し、ないものはメーカーから借りることにして、段取りのために必要部署との打ち合わせをする合間には、これはプロジェクトとは無関係な、しかし彼女に押しつけられている新人の研修計画を作った。

途中でふと安兵衛のことを思い出した。あれから三日、今ごろどうしているのだろう。家族なり、病院なりに引き渡されただろうか。でなかったら警察はどうするのだろう。まさか留置所に入れといたりするのだろうか。別に悪いことしたわけじゃないのに——。でも刀のこともある。銃刀法違反って結構重いみたいだし、何トカに刃物って言うけど、危ないのは確かかもしれないし。

考えが止まらなくなった。安兵衛のことは忘れて仕事に集中するように努めた。自分のことだけで精一杯なのに、人の心配までしていられない。

努力は一応の功を奏した。またもや昼抜きになってしまったが、仕様変更のアウトラインを決めるという自らに課したノルマはどうにかこなし、五時になると同時に席をたった。城崎がまた何か言ったが、聞くまいと思うと聞こえなくなった。

「お先に失礼します」

精一杯元気な声で言った。萎縮《いしゅく》なんかぜったいにしてやるものか。

大塚に着いたのは五時三十五分だった。

保育園に子供を預けておけるのは六時までだ。努力して、次から次へと立ちはだかってくる障害を時には白い目で見られながらはねとばして、どうにか間に合わせることができる。

いつまでこんなふうにやっていくのだろう。来年、友也が小学生になったら学童保育にやるしかないだろう。学童だと、夏休みや冬休みには弁当を持たせなければならない。考えただけで気が遠くなる。

駅を出たとたん、頭に冷たいものが落ちてきた。と、暮れ残っていた空に黒い雲がぐんぐん広がって、季節外れの雷が鳴り出した。足を速めたがいくらもいかないうちに土砂降りになり、仕方なくコンビニでビニール傘を買った。四百円もした。せめて百円ショップまでたどり着かせてほしかったと恨めしく思った。

その傘の下に友也と身を寄せ合うようにしてマンションに帰ってきた。それでも裾《すそ》がかなり濡《ぬ》れてしまったパンツスーツを着替え、風呂に湯を張りながら台所に立った。

「今日のご飯なーに」

テレビの前の友也が言った。

「ハンバーグ」

答えてひろ子は、冷凍の、と胸のうちで付け加えた。

「あのおじさん、ハンバーグも好きなのかな」

「え？」

「このあいだのさ、昔の人のおじさんだよ」

「ああ、あの人ね」

ひろ子は苦笑した。友也も安兵衛のことが気になるらしい。もっとも彼は安兵衛の奇妙さをそれほど理解していないだろう。ただ彼にとっては、素直かつ真面目《まじめ》に遊んでくれる、めったにいない大人だったということだ。

「いつ来るかなあ」

「どうかしらね」

ひろ子は言葉を濁さざるを得なかった。

「大人はみんな忙しいからね。来られるかどうか分からないわよ」

「ママ、また来るって言ったよ」

「そうだったかしら？　でもいつか分からないとも言ったわよね」

弁解が苦しくなった。

「さ、お風呂のお湯、見てきて」

「今テレビ」

「ぐずぐず言ってないで、お手伝いしてちょうだい」

友也がまた拗ねた顔になった。「早く！」いけないと思いつつ声が尖《とが》る。その時玄関で物音がした。

また聞こえた。間違いなくドアを叩いている。が、その音は弱々しかった。間隔も開きがちだ。誰だろう。インタホンに気付かないのだろうか。普通の場所にあるのに。

ひろ子はこちらからインタホンを取った。

「どちら様？」

「や」

伝わってきた声にひろ子は跳び上がりそうになった。

「いったい、どこから話しておられるのでござる」

「木島さん。木島さんなの？」

急いで戻そうとした受話器がきちんとかからずに落ちてコードの先で揺れていたが、ひろ子はそのまま玄関に向かった。

「木島さん！」

ずぶ濡れの安兵衛がそこに立っていた。立っていた、とはいうものの太刀を杖《つえ》代わりにして何とか身体を支えているだけで、そうする力もほとんど残っていなさそうだった。

「警察に行ったんじゃなかったの？」

「面目ござらぬ。拙者どうしても——」

その上体がぐらりと揺れたのをひろ子は慌てて抱きかかえ、引きずるように玄関に入れた。

「タオル持ってきて。おっきいやつ」

後ろでぽかんと口をあけてのぞいていた友也がはじかれたように風呂場に飛んでいった。ひったくるように受け取って取りあえず肌の出ているところを拭《ふ》いてやったが、タオルは泥と垢《あか》でみるみる真っ黒になった。

「何も食べてないのね」

返事を聞く前にひろ子は台所へ走り、チンしてあったハンバーグを持ってきた。安兵衛はそれを手摑《てづか》みでほお張ったが、はげしくむせて吐き出した。

「駄目よ、急にいっぺんに食べちゃ。ゆっくり。ゆっくりよ」

少しずつ安兵衛の目に生気が戻ってきた。彼は振り絞るようにもう一度「面目ござらぬ」と言った。

「ひろ子殿のところしか、行くところが思い浮かばなくなったのでござる」

「事情は後で聞くわ。ともかくこのままじゃ風邪引いちゃう」

もう一度友也を呼び、安兵衛に風呂の使い方を教えるよう言った。そして自分はとみやに走ってスウェットの上下とトランクス、Tシャツを買ってきた。息せき切って戻ってきたのだが、部屋に入ると風呂場から何がおかしいのかけらけら笑いころげている友也の声が聞こえてきた。身体を洗ったら早くあがりなさいと怒鳴り、脱衣場に着替えを投げ込んだ。

しばらくして二人は並んでリビングに入ってきた。安兵衛のスウェットは後ろ前だったが、友也が先生なのを思えば上出来だった。それよりやっと、友也の笑っていたわけが分かった。

「かっぱ、かっぱだよ」

腰まで届きそうな安兵衛のザンバラ髪を指差して友也はなお腹をよじっていた。これ、とたしなめたが確かに滑稽《こっけい》だった。スウェットの首の穴から髪を引っ張り出すのも大変だったのではないか。そして身を縮めている安兵衛はさっぱりした分、かえって貧相に見えた。

ひろ子と友也のおかずがなくなってしまったが、三人は改めて食卓についた。安兵衛はぽつりぽつりとあれからのことを語った。警察の前まで行ったものの、いざ入ってゆこうとすると、自分がおかしいはずはないという気持がまた出てきてふんぎりがつけられなかった。どこかに元に戻る道があるはず、と信じて再び街をさまよった。今度は人目を避け、日中は公園の茂みや、ホームレスがやっているのを真似て作った紙の家の中で眠って、もっぱら夜中に歩くことにした。はっきりしないが、話に出てきた建物が都庁や東京タワーらしく思えたので、いろいろな方向へ、かなり遠くまで行ったようだった。しかし安兵衛の望みのものは見つからなかった。食べ物を手に入れる手段もなく、飢えと疲れでもうすぐ倒れてしまうと悟った時、彼はひろ子のマンションを目指していた。

「拙者、あれほど心細い気持になったことははじめてでござった。何ひとつ知っているものがないのでござる。恐ろしゅうて、誰にも声をかけることができ申さなんだ。

ひろ子殿だけだったのでござる。によって、まことに恥がましきことながら――」

ひろ子は胸を締め付けられた。安兵衛にとって、女であるひろ子に頭を下げて頼りに行くなんて耐えがたい屈辱だっただろう。そこまで彼は追い詰められたのだ。可哀想。その時彼女の頭にはそれしかなかった。

「いいわ、しばらくうちにいて」

「まことでござるか」

安兵衛はぱっと顔を輝かせた。

「あなた一人くらいどうにかしてあげる。そこまで考えがはっきりしてるんだもの。木島さんはおかしくなんかないわ、絶対」

「とするといったいどういうことなのでござろうか」

「文政にいた木島さんが今ここにいるってことは、タイムスリップとしか解釈できないわ。本当にそんなことがあるなんて、まだよく信じられないけど」

「たいむすりっぷとは何でござる」

「時間を飛び越えちゃうのよ。木島さんはどうやってかよく分からないけど百八十年後の世界に来ちゃったの。もう江戸時代はとっくに終わってるわ。将軍さまはもういない。武士も農民も町人もないの」

「上様がおわさぬ？」

ひろ子は慌てた。この話題はもう少し後でもよかった。しかし口にしてしまったことは仕方がない。

「そう。文政九年から何十年かしたあと、その時の上様がね、うーん、何て言ったらいいだろう、やっぱり国をおさめるのは天皇陛下にやってもらうほうがいいって考えて、いや、お考えになって、幕府を解散したの」

言いまわしに気をつかい、できるだけソフトに伝えたつもりだが、やはり安兵衛にはショックを与えたらしかった。

「では武家の者は、幕府がなくなってどうしたのでござる」

努めてひろ子は明るい事例を探した。

「人によっては、新しい政府に勤めて偉くなったわね」

「せいふとは何でござる」

「幕府のかわりにできたものね。そこが国をおさめるの。公家の人もいたけど、有名な人は武士のほうが多いわ」

「そもそものせいふとやら、朝廷とはどう違うのでござる」

「そうねえ――」

そんなこと考えたこともない。教科書にも出ていなかった気がする。

「ご免なさい。私には教えてあげられないわ。でもとにかく、さっきの西暦でいうと一八六七年、幕府はなくなって世の中がらっと変わっちゃったの。でも、安心してほしいのは、新しい世の中でちゃんとやっていった武士もいたっていうこと」

「ふーむ」

安兵衛は頭の中を整理しているようだった。

「ここはその新しい世の中であると。どういうわけか分からぬが、拙者は文政から百八十年先の、江戸から呼び名が変わった東京とやらにまぎれこんでしまったと、こう言われるのでござるな」

「ええ。信じられない話なんだけど」

「拙者はどうすればよいのじゃ」

安兵衛は悲しげにつぶやいた。確かにひどく気の毒な状況ではある。言葉が通じるのはせめてもの幸いだが、彼にとってみれば二十一世紀は外国どころか、よその惑星にひとしいだろう。

「大丈夫。きっと帰れるわ」

根拠はなかったけれど、ともかく精一杯明るくそう言った。

「お話じゃあだいたいそういうふうになってるの。お話みたいなことが起こったんだから、このあともお話みたいにうまくいくわよ」

「そうでござろうか」

「元気出して。帰る方法をいっしょに探しましょう」

釈然としない面持ちの安兵衛に、ひろ子は「悪いけどしばらくここで待っててね。友也を寝かさないといけないの」と断って立ち上がった。

友也は大人の話がどこまで分かっていたかはっきりしないが、もっと起きていたそうだったけれども促されてしぶしぶついて来た。

「おじさんが来たところ、遠いの?」

歯を磨かせ一緒に入ったふとんの中で友也が訊いてきた。

「ママも正直、よく分かんないんだけどね。すっごく遠いのかもしれない」

「アフリカくらい?」

「もっと、かな」

「おじさん、いつまでいるの?」

「いつまでかは分からないけど、しばらくね」

答えてひろ子は、「いてほしいの?」と訊き返した。

「おじさんの腕ね、すっごく硬いんだよ。さっきお風呂でさわらせてもらった」

「へえ」

「ひこうきブンブンブンブンしてくれるかな」

「どうかしらね」

「頼んでみていい？」

「そのうちね。家の中じゃだめだから」

「明日は？」

「どうかなー。だめじゃないかなあ」

「どうして？」

「友也」

しばらくの沈黙のあとでひろ子は言った。

「おじさんのことはね、なんとかうまくいくように考えてあげるつもりなんだけど、いろいろむつかしいこともあるの。だからママの言うことをよく聞いて」

「うん」

「おじさん、しばらくは外に出られないと思うわ」

「公園行くのもだめ？」

「だめね」

「つまんないの」

「それからおじさんのこと、人に言うのもだめ」

「どうしてなのさ」

「どうしても」

怒りと反抗の色が友也の目に浮かんだ。

「ごめんね。でもそうしないと、おじさんもママも、厄介なことになりそうだから」

「やだ」

「我慢してちょうだい」

またべそをかいたのをなだめるのに時間がかかった。今日の友也は普段以上に強情で、カードを買ってやるからと奥の手を出しても約束は拒んだ。明日安兵衛に家の中でちょっとだけ「飛行機ブンブンブン」をしてもらっていいと譲歩して、やっと目を閉じさせることができた。やがて呼吸が規則正しくなったのを確かめて、ふとんから抜け出した。

そっと襖《ふすま》を開けて、暗がりに慣れた目に電気がまぶしいリビングに戻った。

ごおっと大きないびきが聞こえた。安兵衛は眠っていた。さっきまで慣れない様子でソファに腰を下ろしていたのが、大きく上半身がかしいで、ひじかけに頭をもたせかけていた。

ひろ子は寝室に一度戻った。薄がけしか余っていなかったので、二枚重ねて上に広げてやった。

何だかおかしなことになっちゃったな。

ひろ子は思った。疲れが出てきて自分もこのまま眠ってしまいたかった。だが片付けてしまわなければならない仕事が残っている。その現実がぜんぜんしっくりこなかった。ひょっとして隣で眠っている男が、本当に百八十年を旅してきたのだったら。だとしたら、自分はおそらく、人類史上はじめての出来事に立ち会っていることになるのだ。今日という日は、これから先、教科書にも世界史年表にも載りつづけるような一日だったかもしれないのだ。それに比べれば、一日二日仕事をすっぽかすくらいなんだというのだろう。

しかし、テレビ局や新聞社に電話をかけて今日の出来事を話したとしても、きっとまともに取り合ってくれないだろう。いったいどうすればいい？　すぐに思いつく方法はなかった。思いつくまで、ひろ子はひとりで安兵衛を抱え込むしかない。それが最初に彼とかかわってしまった者の運命だったのだ。

今さらながらひろ子は愕然《がくぜん》としたが、いずれにせよ仕事をほっぽりだすわけにはいかなかった。目がしょぼしょぼしてくるのに耐えながら、食卓でノートパソコンのキーを叩《たた》いた。一方で安兵衛のこともすぐ頭に侵入してきて作業を遅らせる。日付が変わる前に寝るのはどうにも無理そうだった。

次の朝、それでもひろ子はいつもより早く目を覚ました。

口を半開きにして幸せそうに熟睡している友也を認めてほっとした。入口の襖に心張り棒がかけてあった。隣の部屋にはこの間までまったく知らなかった、少なくとも普通とは言い難い男がいるのだ。

起きあがってリビングをのぞく。が、安兵衛が寝ていたはずのソファには誰もいない。あれ、と思った。何もかも夢だったのか?

しかしソファのわきにはきちんと畳んで重ねられた薄がけがあった。あれは私が昨日出したものだ。さっきの心張り棒の説明もつかない。やっぱり夢ではない。

ゴトン。

何かが落ちた音がした。台所だ。ひろ子は慌ててそちらに走った。

「木島さん! 何してるの」

ドアの開いた冷蔵庫の前に、安兵衛がきまり悪そうに立っていた。足もとにタッパーがいくつかころがっている。幸いこぼれたものはないようだった。

「いや、摩訶《まか》不思議な箱ゆえ、どうなっておるのかと調べておったらうっかり……」

「これは冷蔵庫。食べ物が腐らないよう冷やしておくものよ」

「雪女でも中におるかと思い申した」

「そんなものいないわよ」

「しかし人くらい入れそうではござらんか。ほれ、この仕切り板を外せば――」

「駄目よ」

なお中をのぞき込むのをやめさせてひろ子は冷蔵庫のドアを閉めた。

「間違っても入ったりしちゃ駄目。この中じゃ息ができないの。子供が閉じ込められて窒息しちゃう事故もあるらしいのよ」

「左様でござるか」

神妙な表情になって、安兵衛は頭を下げた。

「ところで雪隠《せっちん》はどちらでござったかな」

「玄関のわきよ」

言ってひろ子は心配になり、つけくわえた。

「水の流し方、友也が教えたわよね」

「ああ、ばっちりでござる」

胸を叩いてトイレに入った安兵衛だったが、ややあって今度は「ぎゃー」とカラスが猫におそわれたみたいな悲鳴がした。

「もう、どうしたっていうのよ」

飛び出してきた安兵衛は顔面蒼白《そうはく》で、荒く息をはずませていた。どういうわけか顔がびっしょり濡れてあごからしずくが滴っている。

「やっぱりこの家には妖怪がおるようでござる」

「馬鹿言わないで」

ひろ子はドアを開けた。

「あ、あー」

トイレから噴水があがっていた。ウォシュレットが、本来の目標を見失って飛び出し、床をびしゃびしゃにしていたのだ。スイッチを切ると、急いで雑巾《ぞうきん》を出し、こぼれた水をふき取った。

「妖怪ではござらなんだか」

「余計なところ触らないでって言ったでしょう！」

安兵衛は頭をかいて「面目ござらぬ」と言った。

「流すのはうまくいったのでござるが、いったいどんな仕組みになっておるのかと見とれておったら――。腕が触れてしもうたのかもしれぬ」

「分かったわよ。もう大丈夫だから」

安兵衛はいよいよ恐縮の体《てい》だった。

「お世話になっておるうえに、慣れぬこととはいえ、とんだ粗相を重ね申した。埋め合わせというわけではござらぬが、何か拙者にできることはあり申さぬか」

「別にないわ」

「そう言われるな。拙者、心苦しゅうござるし、武士としての体面にもかかわることでござる」

知ったことではない。だいたい、これ以上いらぬことをされて面倒が増えてはかなわない。いつかそのうち、となだめすかして食卓につかせた。友也を起こし、着替えさせながら買い置きの菓子パンを並べる。何となくだが栄養上よさそうな気がしてバナナもつける。友也と自分は半分ずつだが安兵衛にはまる一本にした。やっぱり男だから。コーヒーメーカーをセットしてスイッチを入れる。友也には牛乳をそのまま。これがいつもの朝食だった。

「お口に合うかどうか分かりませんけど」

一応はそう言ったが、思った通り安兵衛はそれらをうまいうまいとぱくついた。ただしコーヒーだけはちょっと抵抗があったようだ。しかしそれも牛乳と砂糖を多めに入れてクリアした。

「これから私は会社に行かなきゃいけないの。お城勤めみたいなものね。友也は保育園ってところに日中いるわ。だから木島さんにここでお留守番しててもらわなくちゃいけない」

安兵衛はえっ、という顔をした。

「ほんとはこれからすぐにでも、江戸に戻る方法を考えたいんだけど、私、仕事を休むわけにいかないのよ。それでお金もらって生活してるから」

「そうなのでござるか」

「木島さんが出歩くのは今のところちょっと無理だと思うの。気がせくでしょうけど、焦っちゃだめ」

さっきのこともあり、ひろ子にしたって安兵衛を一人でここに残しておくのはものすごく不安だった。けれどほかにしようがない。その分、注意は細かくなり、くどく念を押した。

食事は簡単なものだが作っておいておく。水は蛇口から好きなだけコップにくんで飲んでよい。電話というものがあって突然けたたましい音をたてるが、放っておいてほしい。インターホンにも出ない。くれぐれも人目につかないよう気をつけて。ベランダにも立たないほうがいいだろう。

「不自由でしょうけど我慢して。六時には帰れるよう努力します」

時計の読み方を教え、友也を連れてひろ子はマンションを出たのだった。

日中の落ちつかなさといったら、安兵衛の居所が分からなかった昨日が懐かしかった。おとなしくしてくれていればいいのだが、コンロに触らないよう言っとくのを忘れた。まさか火事になんて――。どうしてこんな余計な荷物をしょい込んだんだろう。私って馬鹿？

友也も安兵衛が気になって仕方なかったらしい。もっとも彼の場合は一刻も早く遊びたくてたまらなかったせいのようだが。しゃべってはいけない、というストレスもそれに輪をかけたのか。ともかく待ち遠しかったその夕方、二人は保育士へのあいさつもそこそこにマンションまで一目散に帰った。

「ただいま」

息せききってとびこんで、少なくとも火事にはなっていなかったとひろ子は安堵《あんど》した。ふと「ただいま」という言葉を口にするのはずいぶん久しぶりだなと思った。家に帰った時、中に人がいて、電気がついているなんてずっとなかったことだった。

「や、おかえりでござったか」

奥から安兵衛の声がした。

「うわっ、ぴっかぴかー」

リビングに入った友也が叫んだ。

ひろ子も後を追って小さく声をあげた。いたるところにちらかっていたおもちゃ、こまごました雑貨がすべて片付けられ、モデルルームみたいとはいかないにせよ、部屋中ぴしっと整えられている。どこにやったかと前から探していた掃除機のアタッチメントが、麗々しくリビングボードに飾られていたのはご愛嬌《あいきょう》というものだった。

そして床がほんとうに光り輝いていた。足を置くのがためらわれたほどだ。壁も拭き清められ、全体の色調にめりはりが戻っている。玄関に入った時、明るさを感じたのは電気がついていたせいだけではなかったのだ。リビングの奥にバケツと雑巾が見えた。ここまでにするには、どれほど水をかえなければならなかったろう。本当なら、余計なことしないでって言ったのにと、怒らなければならないところだったが、そういう気持はひろ子の中から失われていた。

「おじさんてさ、そうじのてんさいだね」

天才という言葉のぴったりな使い道を見つけたように友也は言った。

「ほんとにそうだね」

ひろ子もかなり本気でそう思った。少なくとも、これだけの熱意を持って掃除ができる人物はそうそういないだろう。

安兵衛は、自分でもいささか自信があったのか、賛辞を聞いて鼻をうごめかせたが、口は謙虚に「たいしたことではござらんが、喜んでいただけて嬉しゅう存ずる」と言った。

その日夕食は刺身と焼き魚、かぼちゃの煮物、みそ汁という献立だった。

「なるほど、江戸と同じ食べ物もあるのでござるな」

安兵衛は、これはこれであっという間に平らげ「すばらしく上等の魚でござったな。拙者のために恐縮至極でござる」と言った。

「スーパーで売ってるやつよ。安物よ」

「いやいや。こんなに新しい刺身を口にしたことはござらぬぞ」

聞けば、おかずといえば野菜の煮たのか漬物が主で、月に何回か干物が出ればごちそうらしい。冷蔵庫はおろか、氷すらないのだから当たり前だ。そう考えるとこちらで日頃口にしているものがいかにぜいたくかよく分かる。もっとも友也はどれにもほとんど手をつけなかった。何だか安兵衛に申し訳ないような気持になった。

「木島さん、お子さんは？」

「いや、拙者まだひとり者でござって」

「あら、そうなの」

想像していなかった答えだった。若者といえばなかなか結婚しないの、子供を作らないのとあげつらわれる現代と違って、江戸時代はみな、十代くらいで親の決めた相手と身を固めているイメージがあったからだ。

そして何気なく年齢をたずねて、ひろ子は目を丸くした。

「二十五？」

これにはただびっくりした。ひろ子より八つ、いや、安兵衛の言ったのはかぞえの年だろうから、九つ若いのだ。田中基彦と同じじってことか。信じられない。四十は優にいっていると思っていた。

「若いのねえ」

急に安兵衛が子供っぽく見えた。何だかこれまで気をつかいすぎていて損をしたような気になる。もっとも話を聞くと、やはり十代で家を継いでいる者も珍しくはなく、二十五が若い部類に入るか微妙ではあるようだった。彼の場合は、父親が何年か前に亡くなった後、弟が先に婿養子にもらわれていって母と二人暮らしをしているらしい。江戸時代でもそうもてる顔ではないのだろう。だが、ともかくひろ子としては、二十五が若者であってくれなくてはいたたまれない。

胸のうちを知ってか知らずか、今度は安兵衛がひろ子の歳をたずねた。開き直って正直に答えた。安兵衛も驚いたに違いない。決まり悪そうにもじもじして、話題を変えるつもりだったか、「そういえば、御主人はどちらにお勤めでござるのか」と言った。

「夫はいないの。別れちゃった。二年前」

安兵衛はいっそうしゅんとなってしまった。

「これはすまぬことを聞き申した。そういえば友也殿と二人暮らしと聞いておったのを忘れて、ただお留守とばかり思っており申した――」

「いいのよ。どうせそのうち話さなきゃいけなかったんだから」

本当に、言ってしまって引っかかっていたことがひとつ消えた気がした。隠したつもりもなかったが、そんなふうに感じるのは、考えている以上に自分の心の中で離婚のことが整理されていない証拠かも、と思った。

「珍しい話じゃないのよ、こっちでは」

「いや、江戸でも夫婦別れはあり申すが――」

「子供ができなかったとかそんなんじゃないのよ。現にそこにいるでしょ。不始末をしでかしたわけでもないの。だいたい私のほうから別れてって言ったんだから」

「ひろ子殿から？」

不審そうに安兵衛は言った。江戸時代には、夫が妻にミクダリハンをつきつけることしかできなかったんだっけ。とすると、別れられただけでも幸せと思わなきゃいけないのかもしれない。

別れた男は会社の同期だった。会社といってもイートンではない。ひろ子が女子大を出て入ったデパートのほうだ。

若かったな、と思う。

「君が働きたいなら、働けばいいよ」

優しい言葉にだまされた。いや、彼自身、だますつもりはなかったのだろう。けれど優しいだけで家庭生活はやっていけない。誰かが家事をやらなきゃいけないし、夫がいつまでたってもおぼえてくれなければ自分しかやる者はいない。二人だけのうちはまだよかったが、友也が生まれてその世話がぜんぶのしかかってくると、我慢しきれなくなった。

「手伝ってよ」

「無理だよ」

彼は肩をすくめた。彼が早朝出勤、残業に追われまくっていたのは本当だ。でもそういう仕事をこなしながら、どんどん重要な仕事をまかせられ、地位もあがってゆくのだ。一方の自分は、どんなに望んでも同じように働けない。そして彼は、ひろ子の愚痴にうなずき、いっしょに憤ってはくれても、身体を動かして家事を手伝ってくれることは決してしてないのだった。

あなたなんかいないほうがましとどなったひろ子をあとに、夫はほかの女を見つけて出ていった。おかげで親権でもめずにすんだし、マンションまでもらえたのはラッキーだったと今では思っている。何しろシングルマザーの再就職は容易でなく、在庫管理に少しコンピューターをいじらされた経験を買われてイートンに採用されるまで、半年以上失業保険で食いつながなければならなかったのだから。

「やはりよく分かり申さぬな」

友也の前ではばかりもあったので、寝かしつけたあと二人はふたたびその話をしていた。

「うちむきのことをひろ子殿がなされるのは当然のように思うのでござるが」

「私、稼いでたのよ」

「それでござる。勤めに出るのはいやしき女のすることではござらぬか。武家にせよ公家にせよ、名ある血筋のおなごにはふさわしくないと存ずる。ただ今はいたしかたないとしても、夫をお持ちの時に働いておられたとはどういうことでござる」

「こっちでは、結婚したあとも働く女がたくさんいるのよ。お金のためもあるけど、そうね、一番は働きたいからよ。働いてたほうが何かと安心だし、ずっと家にいたらつまんない気がするし――」

「外で働いておれば、飯の仕度や子守りをするのが大変なのは当たり前でござる」

「だから、男にも手伝ってもらいたいのよ」

「拙者は嫌でござる」

不愉快そうに安兵衛は言った。

「うち向きのことは女、勤めに出るのは男と決まっているのでござる」

「そういうのは古臭い考え方だって、こっちではなってるの」

ひろ子も言い返した。

「だいたい木島さん、今日、うちをぴかぴかに掃除してくれたじゃない。すごく見直してたところだったのに」

「あれは――」

一瞬つまったあとで安兵衛が答えた。

「あれは、お世話になったご恩返しでござる。雑巾がけなら、道場でもしょっちゅうやっており申すゆえ」

「ほかのことだって同じよ。おっぱいをあげるのは無理でしょうけど、あとは何だってできるはずよ」

「たわけたことを申される。武士にむつきを替えよとおっしゃられるか」

「替えようと思ったら替えられるんじゃない？　やろうとしないだけでしょう。反対に女にだって、男がやってる仕事ができないとは限らない。こっちだと、まだ数は少ないけど女の大臣だっているのよ。ご老中みたいなものよね。そのうち将軍だって出るかもしれないわ」

「女の上様？　話になり申さん。先ほどといい今といい、あまり愚弄《ぐろう》が過ぎては拙者の堪忍も持ちませぬぞ」

「昔は考えられなかったかもしれないわ。でも今は違うの。男と女、武士と町人、みんな平等。家柄も関係ない。才能があれば、何にだってなりたいものになれるわ」

「あさましい世でござるな」

「あさましい？」

「そうではござらぬか。人は己をわきまえねばなり申さぬ。そのようなわきまえぬ心持ち、あさましいと言わねば何と言うのでござる」

思いがけない安兵衛の言葉だったが、ひろ子ははっとした。そうかもしれないと思った。痛いところをつかれた。誰でも努力すれば上にいけるというのは、公平なようだけれどもそれだけ競争がはげしくなることでもある。昔だったらひろ子は当然のように結婚と同時に仕事をやめ、夫と子供の世話をして満ち足りていただろう。

安兵衛は怒って横を向いていた。むくつけきとしか表現しようのない顔だが、その表情はすねた友也のそれにどこか似ていた。

「誤解されてるんじゃないかと思うけど、私、友也を産んだことを後悔してるわけじゃないのよ」

それは一点の曇りもない真実だった。というより、友也はひろ子の生きがいだった。じゃあ仕事はどうでもいいのかと言われたら困るが、一番大切なのが友也なのは絶対に揺るがない。

「そのうち、友也に剣道を教えてもらおうかしら」

「それくらいならまあ、お引き受けいたす」

やっと返事をしてくれたことにほっとして、ひろ子はそろそろ寝ようと言い、湯のみを片付けながら立ち上がった。実際もういい時間だった。

男女の家事分担について、侍と語り合うなんて思ってもみなかった。安兵衛も、女性将軍の可能性をうんぬんする日があるとは夢にも思わなかったろう。

剣道もいいが、何より早く、無事に安兵衛をもとの世界に戻さなければならない。でもどうやって？

「明日は私の会社、休みだから。こっちじゃ七日のうち、おしまいの二日は会社も保育園もないの。だから木島さんのことに時間を使えるわ」

「よろしくお頼み申す」

まだぶすっとしたまま答えた安兵衛に、ひろ子は「何ができるか分からないんだけどね」と付け加えた。

第一はやはり安兵衛の頭をどうにかすることだろうな、と考えた。実は今日、風呂のあとでひろ子がちょんまげを結うことに挑戦したのである。けれども、こよりでまず一箇所を束ねるというところからつまずいた。こよりなどどこをさがせば売っているのかも分からない。ええいとゴムバンドで適当に結んだが、安兵衛は痛がって悲鳴をあげ、どうにかつくった毛の束も、頭の上にうまく乗せられなかった。やってもやっても落ちてしまう。

安兵衛は、その存在と用途をおぼえたばかりの洗面所の鏡の前に立って言葉を失った。

「ごめんなさい」

ついてきていたひろ子は身を縮めた。

「もう少し、なんとかなり申さぬか」

「ならないみたいなの――」

安兵衛はぽつりと「仕方ない」とつぶやいた。

「ま、さしあたってこれで不自由はござらん。それに今、気がつき申した」

「何に？」

「これで髪を結うてしもうては、このすうぇっととやらが脱げ申さぬ」

そしてやけのように笑った。ただの長髪だったら、ポニーテールにしておけばかえって現代的なのだが、月代《さかやき》がどうにもやっかいだ。インターネットで、ちょんまげの結い方なんて調べられるだろうか。明日やってみよう。いずれにせよ安兵衛は外に出られないままだから、彼を帰す方法は自分が探さなければならない。

「おやすみなさい。今日は歯磨き、使ってみてね」

寝室に引き上げたあと、襖の細い隙間《すきま》からひろ子はリビングをそっとのぞいた。安兵衛はその不恰好な髪のかたまりをうなじのあたりにぶらぶらさせたまま、ソファにふとんをセットしていた。

3

思いがけないことに、安兵衛の頭問題はその晩かぎりで解決した。解決というべきなのかどうか分からないが、ともかく終わった。

目覚ましの必要のなかった土曜の朝、ひろ子はふだんの週末にもまして遅くまで寝ていた。というのは、ある程度の時間になると友也が起き出して、いつもならひろ子も付き合わざるを得ないのだが、その日、友也はふとんを抜け出すとそのまま部屋の外に行って戻ってこなかった。安兵衛のところだなと思ったものの、このまれな機会に朝寝を楽しみたい気持に抗《あらが》えず、あの人早起きみたいだからと自分に言い訳をしてまたまぶたを閉じた。

もう一度目覚めて、ひろ子は横になったまま伸びをした。わきのあたりの筋肉がみりみりと音をたてる。カーテンを少しめくって外を見ると、太陽はもう仰ぎ見る高さに上っていた。

よっこらしょ、と声が出てしまうのを情けなく思いながら起きあがった。リビングのほうから安兵衛と友也の声が聞こえる。「ピカチュウ」「十万ボルト」などと騒いでいるのは、またカードゲームをやっているらしい。

「ご免なさい、木島さん。友也をすっかりまかせちゃって——」

言いながらリビングに入ってぎょっとした。

カードを握りしめて友也と向かい合っているのは見知らぬ男だった。どこから出てきたのか？　なぜ友也は平気そうに遊びつづけているのか。そして安兵衛は、どこへ行ったのか。

その時、男が顔をあげた。そしてにこりともせず言った。

「気にされずともようござる」

ひろ子はまじまじと男を見た。ひろ子が買ってきたスウェットを着ている。確かに安兵衛だった。だが、昨日あったものがすっかりなくなっている。それが顔の印象をまるで変えてしまったのだ。

安兵衛の頭は恐ろしく不ぞろいな五分刈りになっていた。虎刈りという言葉の意味をひろ子ははじめて理解した。はさみを深く入れすぎた部分の地肌が透けて、見事な縞模様《しまもよう》をつくっている。

「その頭、どうしたんです？」

「先ほど切り申した。友也殿にはさみをお借りいたした」

「オレも手伝ったよ」

勇んで友也も付け加えた。

「それはいいんだけど、ちょんまげって武士の命なんじゃないの？　切っちゃってよかったの？」

「仕方ないではござらぬか」

安兵衛はカードを選びながら言った。

「ひろ子殿は結い方をご存じないし。そもそもまげではこちらでは目立ってしょうがないと、ひろ子殿もおっしゃっていたでござろう。外に出られないではどうにもならぬと考え申してな。こちらの男どもがしているような恰好にはちと無理がござったが、坊主頭はときどきおるらしいと先日気づいておったゆえ」

改めて安兵衛を上から下まで眺めた。毛が伸びつつあったとはいえ、月代だったところとそうでないところの差は歴然としている。しかし若禿げでこんな感じの人もいる。思い切り美化して言えばちょっとジャン・レノみたいでなくもない。

「似合うわ、木島さん」

似合っているのかいないのか、正直分からなかったけれどそう言った。安兵衛の決心がどれほどのものだったか想像すれば、そう言うほかなかった。ともかくひとつ、片付いたのだ。

スパゲティで朝昼兼用の食事をすませたあと、ひろ子はまずひとりで出かけて、安兵衛の外出用の服を買ってきた。虎刈りは、かみそりでいったんつるつるにしてしまうことにし、怪しさが軽減されるのを期待して野球帽も用意した。そりあげた彼の頭はあちこちにでこぼこがあって見るからに硬そうで、河原に落ちている石みたいだった。

準備は整った。買い足したジーパンにワークシャツ、ジャンパーを羽織ってスニーカーをはいた安兵衛は、「これで、こちらの者とまったく区別がつき申さんでござろう」と、どこまで本気なのかつぶやいた。

友也は浮かれていた。昨日もさわりだけやってもらえたのだが、「飛行機ブンブンブン」をいよいよ本格的に堪能《たんのう》できることになったのだ。早く早くと安兵衛の手を引っ張って公園に向かおうとした。

「これ、遊びに行くわけじゃないのよ」

友也の耳には入らない。安兵衛が出られるようになったらと約束していたので、だめと言うわけにもいかない。

二の腕にぶらさがってぐるぐる振り回してもらう。それだけのことだ。前はひろ子にもできた。四歳くらいから、重くてだめになった。この夏帰省した時、ひろ子の弟、友也からすれば叔父が自分の子供にしてやっているのを見て飛んでいったが、何度も何度もせがむので弟はへとへとに疲れて、そのあとは友也を見ると逃げ腰になってしまった。

「あんまり無理言っちゃだめよ」

さとしたひろ子に「だってオレ、ウチではやってもらえないんだもん」と抗議されて、思わずうつむいてしまったものだ。

たまったうっぷんを晴らすように、友也は歓声をあげて思う存分振りまわされた。安兵衛の腕はたしかに強靭《きょうじん》だった。現代では小男といっていい部類だ。百五十五センチのひろ子とそれほど変わらないだろう。ぶら下がった友也の足もはじめは直角以上にまげておかないと地面についてしまいそうなのだが、回すにつれて遠心力でどんどん浮き上がり、最後は水平に近くなった。友也のほうが力つきて、手を離して飛ばされてしまうのではないかと心配になったくらいだった。そのうっとりした表情を見て、ひろ子は友也に少し借りを返せた気になった。

「ありがとうね、木島さん」

「何の。たいしたことではござらぬ」

安兵衛も、まんざらでないふうに言った。今日、やっと見せた笑顔だった。

「じゃあ今度は大人の用事に行くよ」

「うん」

満ち足りた友也は素直に従った。いつもこういうふうにできればいいのになあと思う。「飛行機ブンブンブン」みたいにもう逆立ちしたって無理というものでなくても、ひろ子のほうに、子どもを満足させるまで遊んでやる時間とエネルギーが不足している。反省するが、じゃあどうすればいいとなれば知恵はない。

ともあれ、いよいよ今日のメインイベントだ。

安兵衛を江戸時代に帰す。

ちょんまげもたしかに難問だったが、これに比べれば何でもないともいえた。答えを知っている人はおそらくこの世に一人もいない。唯一の体験者である安兵衛が、肝心の部分についてまったく憶《おぼ》えていないのだ。

「タイムスリップ」「タイムトラベル」「タイムマシン」などでネット検索をかけてみると、ヒットするページはたくさんあった。けれどほとんどがSF映画や小説に関するもので、資料として一級とはいいがたい。

そういう中でよく出てくるのは、爆発とか交通事故とか、物理的なショックと同時に過去や未来に飛ばされてしまう「戦国自衛隊」パターンだ。火事に巻き込まれて気がついたら、なんて小説もあったような気がする。だがこれは困る。おいそれと再現するわけにいかない。そもそも安兵衛がこちらに来た時に、その種のことがあったとは聞いていない。「時をかける少女」は、確かラベンダーの香りがきっかけになるんだった。でもラベンダーって、どんな花だっけ。

泉のような、あるいは井戸のようなものに落ちたという話からすると、ドラえもんのタイムマシンの出入口が近いかもしれない。空間にぽっかり穴が開いているイメージ。のび太の机の引き出しに出入口が開いていたくらいだから、場所はどこだってありだろう。となると逆に探す手がかりもないわけだ——。

途方にくれかかった時、ふと目についたホームページがあった。それは一応実話という触れこみで、さまざまな超常現象体験者の話が載せられていたのだが、そのうちの一人がこんなことを証言していた。

〈人気《ひとけ》のない夜道を歩いていた私の耳に、ういーんという何かが小刻みに振動しているような音が聞こえました。それはだんだん大きくなっていったのですが、特に何とも思わず歩き続けていると、突然あたりの景色が変わってしまいました。家とか街灯とか、形のあるものは一切見えません。上も下も横もすべて紫がかった灰色のトンネルの中にいるみたいな感じなのです。私はびっくりしてともかくその場を離れようと駆け出しました。行っても行っても抜けられません。例の音はずっと続いています。と、前方から歩いてくる人影に気づきました。その人はおばあさんと言っていいくらいの年配の女性でしたが、とても大きな、真っ赤なサングラスをかけていました。ゴーグルに近いものだったかもしれません。服も微妙に現代のものと違っていたように思います。とにかくその人は言いました。この先は未来に通じている。お前が足を踏み入れていい場所ではない。引き返しなさい、と。私は震えながらうなずき、踵をかえして逆方向に走りました。どれくらいそうしていたか分かりません。私はもとの場所にいました。あのういーんという音も、聞こえなくなっていました〉

これだ！　人気のない夜道というところは安兵衛の場合とも同じだし——。ひろ子はひらめきを感じ、即座に方針を立てた。

「いい、ういーんという音よ」

歩きながら言ったひろ子は、けげんな顔をしている二人に説明した。

「それがしるしらしいの。木島さん、こっちに来る時聞かなかった？」

「そうでござるなあ。はっきりとは——」

「きっと聞いてるはずなのよ。聞いてなかったとしたら、その間気絶してたからなのよ。とにかくそういう音がするところを探すの」

ひろ子たちが歩いていたのは、駅へ向かう広いバス通りだった。「とみや」もこの通りに面して建っている。帰るには来た道を引き返すことになるはずだという考えから、まずは安兵衛がこちらに出てきた地点を調べてみることにしたのである。

目的地に着く前にも、うぃーんという音が聞こえないか耳を澄ませ、あちこちに目をくばった。そこここに建設中のマンションが目立つ。地名のブランド性はないが交通の便もよい穴場ということだろうか、ここ数年来すごい勢いだ。去年だけで三棟オープンし、四棟が新たに着工した。だが今日は週末のせいか工事はどこも休んでいる。静かなのは今の場合都合がいい。けれど耳に届くのは車の排気音ばかりだった。不審なもの、泉も穴も、空間のひずみらしきものも見つからない。コンビニ、レンタカー屋、不動産屋、いくつかのオフィスビル、どれもふだんと変わったところはなかった。交番ではお巡りさんが暇そうにお茶をすすりながら往来を眺めていた。馬鹿にされるかもしれないと思って、あれが警察と安兵衛に教えるのをやめたほど、のんびりしていた。あの分では、通行人が、突然姿を消したというような事件もなかったのだろう。

とみやの前についても、やっぱりあたりにそれとわかる変わったところはなかった。

「このへんだったのよね」

最初に安兵衛を見かけたあたりを指差す。

「多分そうでござる。あの時は拙者、気が動転してほとんど動けずにおったゆえ、きっとすぐそばに出てきたのではないかと存ずるのじゃが」

それで耳をそばだてながらあたりを歩き回ってみた。といっても今はもう店が開いているので、客の自転車がずらりと並んで近づきにくい。無理に割りこんでゆくと自転車が将棋倒しになった。大変な思いをして立て直しながら地面やスーパーの壁、窓に目をこらし、撫《な》でてみたりした。コンタクトですか？　と荷物を運び入れていたスーパーの職員が寄ってきたので、ひろ子は慌てて首を振った。

道路に面した部分を一通り調べ終え、建物のわきに移った。さらに裏側へ入り込み、段ボール箱の積み上がったあいだを歩き回った。

「何もないみたいね」

諦《あきら》めてひろ子は言った。

「そうでござるなあ」

安兵衛が未練を残しているのははっきり分かったが、彼も可能性は薄そうだと認めざるを得ないようだった。さきほどの職員にまた見られてしまって、今度は露骨に不審な顔をされた。とりあえずは潮時のようだ。

「ちょっと休みましょう」

ひろ子としてはコーヒーショップに行きたかったのだが、友也はハンバーガーを主張した。お腹が減ったという。これは見え透いたウソだった。朝食をすませて二時間くらいしかたっていないし、友也に限ったことではないのだが、いまどきの子供はおしなべて食べ物に興味がない。好物といっても、それならがみがみ言われなくても食べるというくらいのことで、空腹を感じること自体、ほとんどないようだ。友也が狙《ねら》っているのは「ラッキーセット」というおまけ付きのメニューなのだ。

「だめ」

「ハンバーガー」

「ラッキーセット以外のもの頼むんだったらいいよ」

「えー」

ひろ子はにやりとする。

「えーじゃないでしょ。お腹すいてるんだったら、ハンバーガーとジュースとポテト買ってあげる。ラッキーセットと同じじゃない」

「おもちゃがついてない」

「あれえ。おもちゃって食べられるのお？」

友也はうつむいた。筋が通らないことは自分でも分かっているので、怒るわけにもいかないのだ。

「だって、だってさ」

「だって何よ」

口が四角くなってきた。あと数秒でうえーん、だ。多少泣かせてもかまわない。泣けばなんとかなると思っているのを改めさせないと。

「あっ、ともやだ」

その時後ろから声がした。

振り向くと、ベビーカーを押した女と男の子が立っていた。保育園でいっしょの平《ひら》石悠樹《いしゆうき》とその母親の佳恵《よしえ》だった。佳恵はまだ三十前のはずだからママたちの中で実際かなり若いほうではあるのだが、もし同い歳だったとしても、ちょっと力を入れればバラバラになってしまうんじゃないかと思えるほど大きな切れ目の入ったダメージジーンズを、下着見せで穿《は》く勇気はひろ子にはなかった。前に一度、誰だったかの武道館コンサートに誘われたことがある。本人は悠樹と赤ん坊まで連れてちょくちょく出かけるらしい。

「おはよー」

「あ、ああ。おはよう」

ひろ子は慌てて会釈を返した。

十分予想できた事態ではあったが、安兵衛のいるところで知り合いに出くわしてしまったことはひろ子をかなり動揺させた。佳恵も誰だろうというふうにちらちら見ている。どう説明すればいいのか、それとも何も言わずにやり過ごしたほうがいいのか。

そのいっぽうで、友也は思いがけない好機の到来にふるいたった。ここぞとばかり反撃をしかけてきた。

「ねえ、ラッキーセット」

「ラッキーセット?」

耳ざとく悠樹が反応した。

「オレもラッキーセットほしい」

「オレも」

「オレも」

「ラッキーセット」

「ラッキーセット」

大合唱になってしまった。母親同士は困り果てて顔を見合わせた。

「佳恵ちゃん、ご免ね」

「ううん、うちこそ」

もはや形勢を逆転することはできなかった。「仕方ないわねッ」ひろ子が敗北宣言をすると、子供たちは小躍りして勝利の喜びに浸った。

まあしょうがない。どうせいつかお昼も食べなきゃいけなかったんだし、早いけど腹ごしらえしておけばそのあと調査の続きに専念できる。

と、そこでひろ子の頭は安兵衛問題に引き戻された。佳恵たちといっしょに行くとなると、知らんぷりのままではすまされない。こちらがバツ一なのは佳恵も分かっている。歩き出しながらひろ子は口を開いた。

「佳恵ちゃん。この人、私のいとこなの」

「ああ、そうだったの」

普通だったら本当にそうか？　と疑われて仕方のないところだ。しかし幸いなことに安兵衛の容貌《ようぼう》は、彼氏とか恋人とかのイメージからかなり離れていた。佳恵は真にうけたようだ。気がとがめないでもなかったが、本当のことを言ったって、信じてもらえるわけがない。

「よろしくおたのみ申す」

几帳面《きちょうめん》なお辞儀とともに安兵衛は言った。佳恵はぽかんとした。

「ウチの一族ってさ、すっごくいなかに住んでるから」

とりつくろったが佳恵の笑みは引きつっていた。帽子の下のスキンヘッドにも気づいたようだ。なるようにしかなるまい。

「今日、お父さんはどうしたの」

「ゴルフ。週末はいつもなの。子供の相手くらいしてもらいたいんだけど。家にいると悠樹が退屈しちゃって。結局、二人連れて歩かなきゃいけなくなっちゃうのよね」

旦那《だんな》がいるから楽なわけでないのは承知している。夫だった男はゴルフをやっていなかったけれど、その後始めているだろうとなぜか確信できた。彼なら、始めたらずいぶん熱中するだろう。

「いないとあてにもしないから、がっかりしなくてすむわ」

わざとひろ子はあけすけにいった。

「それはそうかもね」

佳恵はちょっと笑ってみせたが「でもやっぱり、大変でしょ?」と付け加えた。

「うん」

素直にうなずいた。やはりこういうところは働いている母親同士、気持が通じる。

都電の線路沿いに駅の北口から南口へぬける途中にハンバーガーショップはある。週末はいつものことだが結構混んでいる。中高生と、あとはひろ子たちのような母子連れが目立つのはやはりラッキーセットの力に違いない。

子供二人はよだれを垂らしそうな顔でキャラクター別に何種類かあるらしいヨーヨーの品定めをし、選び終わるとどうにか確保した席にさっさとついていじりまわしはじめた。案の定、食べ物のほうはほったらかしだ。

「で、私たちが食べなきゃいけないことになっちゃうのよねえ」

佳恵がうんざりしたように言う。

「佳恵ちゃんとこも、ラッキーセットのおまけたまってない？」

「いーっぱいある。すっごく欲しがるのに、すぐ飽きちゃうんだもの」

「全部揃《そろ》えないと遊べないっていうのも多いでしょう」

「そうそう。えぐいよね」

「安いから文句言えないけどね」

「ほんと、おもちゃついてこの値段って何なんだろう」

「でも逆にいうと、ほかのメニューで儲《もう》けてるってことでしょ」

「そうよねー。子供一人じゃこないもんね。このコーヒーだって、原価いくらか分かりゃしないよ」

安兵衛はひろ子と佳恵の会話を黙って聞いていた。ないがしろにしているようで悪い気もするのだが、下手にしゃべられてまた不審のタネをまかれるのもうれしくない。痛し痒《かゆ》しで、結局ひろ子は状況をそのままにしていた。

その間に子供たちは、簡単な組み立て式になっているヨーヨーを完成させた。通路に立ち歩いてあぶなっかしい手つきで投げようとする。

「こら、ここでやったらほかの人の邪魔でしょ」

ひろ子が注意したが、「はーい」という生返事のあとおとなしくしていたのはほんのしばらくだけだった。おまけに、ベビーカーで寝ていた赤ん坊が目覚めてぐずりはじめた。

「保育園に入れられてよかったわね」

赤ん坊を抱き上げてあやす佳恵にひろ子は言った。

「友也は最初、零歳児の枠が満員で年度替わりまで待つしかないって言われてさ。私、育休とるつもりなかったのに、取らざるを得なくなっちゃったの」

「それ考えて、産休明けが四月にくるようにしたのよ」

「まじ？　それって、保育園のための計画妊娠ってこと？」

「そうよー。常識じゃん」

仰天しながら、妊娠も七ケ月くらいになってから保育園のことを考え始めた自分の甘さを振り返り、入れられるわけがなかったと納得したひろ子だった。

「でもさ、病院のことがあるじゃん」

あ、と思った。これでも佳恵は看護師なのだが、勤めている病院が今度お台場に移転してしまったのだ。

「どうするの。引っ越さないの？」

「それはない。旦那の職場、王子だし。だいたいまた保育園探ししないといけなくなるでしょ」

「通うの大変だね」

「そうなのー。正直きついよ。ずっとやってけるかどうか不安になっちゃう」

六歳児ふたりはまた通路をうろうろしていた。と、空いていた椅子《いす》に悠樹がよじのぼるのが目に入った。友也も続こうとしている。

「こら、何やってるの」

「ヨーヨーの糸が長すぎてさ、こうしないとうまくできないの」

「ダメ、降りなさい」

無視して友也の投げたヨーヨーがお盆を持って歩いてきた太った中年女のおしりをかすった。女は驚いて身体をひねり、盆の上のものがあやうくひっくり返るところだった。

「すみません」

ひろ子が飛んでいってあやまった。女はひろ子を睨《にら》みつけて無言で離れていった。友也は知らん顔だ。

「やめなさいって言ったのが聞こえなかったの」

「やめなさいとは言ってないよ。降りなさいって言っただけだよ」

「同じことでしょ」

「違うよ。ぜーんぜん違うもんね」

「ママの言うことをきけないんだったら、おもちゃあずかるよ」

「やだ」

「じゃあおとなしくしてなさい」

「そんなことといってさ、遊べなかったらさ、買ってもらった意味ないじゃん」

頭に血がのぼり、思わず声を荒らげそうになったのをこらえたその時だった。

「いいかげんにせぬか！」

空気がびりびりと震えるのがはっきり感じられた。それくらい大きな声だった。

店の中のすべてが動きをとめ、しんと静まり返った中で、怒鳴られた当人の友也は、息をすることさえ忘れたように凍りついた。

「母上たるひろ子殿に対し、その口のききようは何であるか。謝られい」

安兵衛の目は友也にまっすぐ注がれていた。友也はあやつり人形のようにひろ子にぺこりと頭を下げ「ご免なさい」と言った。

「よーよーとか申すものを当てた、先ほどの御婦人にもじゃ」

友也が命じられた通りにすると、謝られた女は「もういいわよ」と面倒くさそうにつぶやいた。

「お主」

さらに安兵衛は女に向き直った。

「私のこと？」

「お主もちと無礼ではないか。子供はともかく、親御が恐縮しておるのに、返事もせぬという法はあるまい」

「何ですって？」

「もう一度言わねばならぬのか？」

安兵衛は低く言った。この顔にこの声。迫力は満点だった。女は、「ふん」とつぶやくと椅子を蹴《け》って立ちあがり、肩を怒らせて出ていった。

誰かがふうーと息をつき、店の中に少しずつざわめきが戻ってきた。友也が、堰《せき》を切ったように泣き出した。目からぼろぼろ涙がこぼれた。今日の彼は、不満のせいでなく、恐怖のために泣いていた。

「男はやたらなことで泣かぬものじゃ」

「だって、やすべえさん、あんなすごい声で怒るんだもの」

「けしからぬことをしたのじゃから怒られるのは当たり前でござる。しかしもうおしまいじゃや。それを片付けられよ。ここはめし屋でござろう。おのおの、買ってもらったものを食ってしまわれい」

濡れた頰を紙ナプキンでぬぐわれながら友也はうなずいた。成り行きにびびっていたのは悠樹も同じだった。たまたま怒られたのが友也なだけで、自分だったとしてもおかしくないのは十分理解できていた。安兵衛と視線が合うと頭をがくがく縦にふり、友也とおとなしく机の端でかしこまって、ハンバーガーをかじりはじめた。

「あ、ありがとうございました」

佳恵が一拍遅れて言った。彼女も背筋をぴんと伸ばし、両手をひざに揃えていた。

「あの、やすべえさんというのは――」

「木島安兵衛と申す。お見知りおきを」

「まあ、お名前までお侍みたいなんですね。はは、はは」

「侍でござる」

安兵衛はにこりともせずに答えた。


「あー、びっくりしたわ」

つぶやいたひろ子に安兵衛が「何がでござる」とたずねた。

「何がって、そりゃもうこのあいだからびっくりしっぱなしだけど」

三人は、山手線の跨線橋《こせんきょう》のうえをゆっくり歩いていた。

「今言ったのは昼のこと。『侍でござる』なあんて」

「本当のことでござるから」

「せっかく頭も今風にしたのに、台無しじゃない。また変なふうに見られちゃうわよ」

「そうでござるか」

「しゃべり方をなんとかしたほうがいいわ。ござる、とか申す、とか、こっちじゃ誰もいわないもの」

「しかしもの心ついてこのかた、ずっとこうしゃべってきたのでござるから——」

「ほら、注意してるはしから」

言いながらひろ子は、あのあとのことをふりかえっていた。

ハンバーガーショップを出たあともしばらく佳恵たちといっしょにいて、公園で子供たちに存分にヨーヨーをやらせた。安兵衛の飛行機ブンブンは悠樹にも大好評だった。しかしそれから再開した調査活動のほうははかばかしい成果をあげなかった。

とみやを中心に少しずつ範囲をひろげながら、せめて手がかりになりそうなものでもと歩き回ってみた。都電の駅でいうと北は庚申塚《こうしんづか》から南は東池袋四丁目あたりまで、さらに山手線に沿って巣鴨近くまで行った。しかし、けっこう長く住んでいるのに気づかなかったいくつかの抜け道を知った以外、得たのは徒労感ばかりだった。

「どっかで、ういーん、くらい聞こえたってよさそうなんだけどねえ」

跨線橋の勾配《こうばい》がこたえた。足が靴の中でふくれあがって熱っぽく、地面につけるたびに鈍く痛んだ。もう限界に近かった。友也はだいぶ前に音《ね》をあげて、安兵衛におんぶしてもらっている。疲れがどっと出たのだろう、すぐに寝息をたてはじめた。

それにしても安兵衛は健脚というほかない。二十キロ近くなった友也を背中にのせて、それからでも一時間以上歩いているのにまったく平気だ。

考えてみればひろ子たちとは普段からの鍛え方がまったく違うのだろう。ひろ子は一日の大半を机にかじりついて過ごしている。歩くといったって、いっぺんにはせいぜい数百メートルだろう。比べて安兵衛のいた世界には、車も電車も、自転車すらなかったのだ。安兵衛が、麻布から板橋まで、徒歩で向かう途中だったと言っていたのを思い出した。それがあたりまえだったのだ。京都や伊勢にも自分の足だけで行ってたんだもの。

「ちょ、ちょっと待って」

とうとう我慢できなくなってひろ子は立ち止まった。ガードレールにおしりを載せてこちんこちんのふくらはぎをもみ、屈伸運動をした。

「大丈夫でござるか」

ござるを注意する気力もない。

「申し訳ないけど、あんまり大丈夫じゃない」

息もたえだえに言った。

「ひろ子殿は足が弱うござるな」

面と向かって指摘されるとしゃくにさわる。さっき考えたことを説明して、「仕方ないじゃない」と開き直った。

「成程。それはそうでござろうな」

安兵衛も同意した。

「してみれば、子供に甘いのも何がしかの事情があるのでござろうな」

「どういうこと？　おんぶしてもらってるのは悪いと思ってるけど」

「いや、そのことではござらん。いろいろござったが、一番はやはりあれでござるかな、さきほどの店で、友也殿ともうひとりの子供が悪さをしておったでござろう」

「ああ。木島さん、びしって怒ったものね。あれも驚いたわ」

「なぜ驚かれる」

「なぜって——すっごい声だったもの」

「我慢ならなかったのでござる。子供が悪さをしたり、行儀を忘れたりしておれば怒鳴るのは当然でござろう？」

「そうねえ。私も時々きれそうになることあるけど——」

ひろ子は少し考えてから言った。

「あの局面であそこまでは怒らないわね。周りの目も気になるし」

「ならぬことはならぬと申さねば子供には分かり申さぬ」

「それはそうよね」

ひろ子はまたしばらく考えた。

「そうだわ。木島さんの言う通りだと思う。木島さんみたいにしなくちゃいけないのよね。ただ――」

「ただ、何でござる」

「怒るのってすごく面倒くさいのよね。疲れるっていうか」

けげんそうに安兵衛はひろ子を見た。

「何言ってんだって思ってるでしょうけど、ほんとなのよ。怒ると疲れる。放っておくのが楽なの。放っておくわけにいかないからちょっとは小言いったりするけど、取り繕ってるだけ」

「分かり申さぬな」

「木島さんは偉いわ。子供だけじゃなく、全然知らない人にもきちんと言うこと言って。私にはできない。とてもそんなエネルギーない」

言ってからひろ子は気がついて「エネルギーっていうのは」と説明しようとした。

「だいたい見当がつき申す」

「ひろ子殿が疲れておられるわけも、少うし合点がいってきた気がするでござる」

「あら、そうなの」

ネットフェンスの下に、山手線が近づいてくるところだった。安兵衛が銀の竜と形容したその巨大な軀体《くたい》が、轟音をあげてレールの上をころがり進んできた。運転士の姿がちらっと見えた。おそらくは秒単位のダイヤ通りに、狂いなく電車を走らせている。目を転じれば跨線橋では、自動車がじゅずつなぎになって信号待ちをしていると信号は青になり、視界はあっという間にびゅんびゅんすれ違う車でいっぱいになった。

「こちらで暮らすのには、そのえねるぎーなるものがずいぶんたくさん要るのでござろうな」

ひろ子はふっと笑った。

「勘がいいのね」

「もっとも、上様のおわす江戸にも、苦労はいろいろござるが」

「そうなんでしょうね」

安兵衛といると、自分たちが何を手にし、何を失ったのかよく分かる。昨日の思いをひろ子はいっそう強くした。

「ともかく今日はもうおしまいにいたそう」

腕時計を見ると四時少し前だった。時刻としてはまだ早いようでもあるが、いったん腰を下ろしてしまうと、動くのが余計おっくうになった。

「ご免なさい。何にも見つけられなかった」

「ひろ子殿のせいではござるまい。気長にやり申すが――」

安兵衛はひろ子をうかがうように見た。

「拙者、あまりいつまでも邪魔をしてはと、それが気がかりでござる」

「いいのよそれはもう。乗りかかった船だもの」

本心だった。意図したことでないとはいえ、さっき平石母子に安兵衛を引き合わせてしまったのも、開き直りの材料を増やした。これからマンションの住民やら誰やらにも徐々に知れるだろうが、どうとでもなれ。悪いことをしているわけじゃない。何と思われても構わない気になった。

「拙者も、ひろ子殿の世話になるほか、身の処し様がござらぬゆえ、そう言っていただけて助かり申す。ただ、そういう仕儀となれば、このままというわけにも参らぬと存ずる」

「ってどうするの」

「ご恩に報いる道、さきほどからあれこれ考えており申した。やはりほかにはござらぬ。ご厄介になるあいだ、うち向きの用事はすべて拙者がお引き受けいたす」

ひろ子は目をぱちぱちさせた。

「でも木島さん、家事は女がやるものだって言ってたじゃない」

「しかし、今はそんな時代ではない、のでござろう？」

「私の意見では、だけど——」

「拙者も江戸ならばはばかりがござるが、ここには知り合いもおり申さぬ。拙者がうち向きの用を受け持てば、拙者はひろ子殿に借りをつくらずにすむし、ひろ子殿も楽ができるでござろう」

「そういうことになるのかしら？」

「なり申すなり申す。あれほど男は役立たぬと、お仲間ともこぼしておられたではござらぬか。拙者がやると申しておるのを拒まれる法はないと存じますぞ」

強引なほどのもの言いにひろ子はたじろいだ。

「でもできるの？　料理なんかも？」

「それはこれからひろ子殿に教えていただくでござる。なあに、刃物の扱いには慣れてござる。包丁も刀のうちでござれば」

友也がその背中で「やすべえさんがご飯作ってくれるの」と寝ぼけた声を出した。

「左様。ひろ子殿に負けないのを作って進ぜる」

どういうことになるのか想像できているとも思えないが、やったー、と友也は歓声をあげた。飛行機ブンブンブンから彼はすっかり安兵衛になじみ、呼び方も「やすべえさん」に変わってしまった。怒られたのも、かえって距離を縮めたようだ。

そこまで言うならやらせてみよう。ダメもというやつだ。

「じゃあ、まず買い物に行きましょうか。とみやでいいわよね」

「ああ、あの市場でござるな。参ろう参ろう」

安兵衛は背中からすべりおりた友也の手をとって、もうこのあたりの地理はだいたい頭に入ったらしく、ひろ子の先に立って歩き出した。

「ただし」

振りかえって安兵衛は付け加えた。

「拙者、女も上様になれるとかいう話、認めたわけではござらぬぞ。あくまで恩をお返しするため、ほかにやりようがないゆえ、うち向きのことを引き受け申すのでござる。くれぐれもお間違えなきよう、お願いいたす」

4

そんなスタートでもあり、本当に大丈夫かとひろ子の心配は募ったが、それはまったくの杞憂《きゆう》だった。最初からすいすいというわけにいかなかったのはもちろんだが、安兵衛は予想をはるかに上回る速さで家事に習熟していった。

何より彼は熱心だった。ひろ子がやってみせる手本をじっと観察し、分からないことは質問攻めにした。学んだことをすぐ自分でやってみると同時に、細かくメモをとっていつも読み返していた。筆ペンでぎっしり書き込まれたノートはすぐにいっぱいになり、二冊、三冊と増えていったが、それを読めば宇宙人でもその日から日本の主婦業がこなせそうな、充実した家事の教科書だった。

例えば、最初にひろ子が教えることになった買い物についてはこんな具合だ。

〈入口ニテ籠《かご》ヲ取リ、欲スルトコロノモノヲソノウチニ入レルベシ。シカシ入レタルモノノ代金ハ出口ニテ徴収サルル仕組ナリ。調子ニ乗リテハ財布空トナルベシ〉

こんなことを書いたのは、実際、ひろ子が目を離したあいだにステーキ肉を十枚ほどもレジに持ちこんでしまい、値段に仰天したものの、「武士たるもの、一度買おうと心に決めて今さらやめるわけにはいき申さぬ」と、パートのおばさんにツケを頼みこんだあげく、「聞き入れられぬなら腹を切る」など、大騒ぎを起こした教訓からだった。しかし後には〈せーる品ハ余裕アラバ買ヒダメスベシ。シカシテ値ノ安キニハ必ズ理由アルモノナリ。ナマモノニテハ、賞味期限ニ注意スベシ。せーる品、往々ニシテソノ刻限迫リツツアリ〉と、学習の成果を披露するまでになった。

〈冷蔵庫ニハ、中心ガ空クヤウ、『コ』ノ字ニモノヲ配列スルガ上策ナリ。ヒト目ニテ入リタルモノヲ一覧シ、使ヒ残シヲ防グヲ得ニヨリテナリ〉

〈洗濯物ノウチ、特ニ汚レノハナハダシキモノハばけつニあたっくヲトキタル液ニ一夜ツケオキテノチ洗濯機ニテ処理スベシ。脆《もろ》キモノ、ホツレヤスキ布ハ網ニイレテ洗フベシ。しーつ等、大キナルモノ洗フ時、「大物」ぼたんヲ必ズ押スベシ。カラマッテ脱水ニ差シ障《さわ》ルヲ防ガンガタメナリ〉

安兵衛はさまざまな家電の操作を学びながら、現代文明の便利さに改めて感心するふうだったが、雑巾がけに見事な腕を示したように、江戸時代人、侍ならではの仕事ぶりで逆にひろ子をびっくりさせることもあった。たとえば、彼が刃物の扱いに慣れていると言ったのは決して嘘でなかった。台所にあった包丁を見て、安兵衛は悲しそうに首を振り「これは刃物とは申せぬ」とつぶやいた。さらに砥石《といし》をひろ子が持っていないと知って呆れかえったふうだったが、さっそく買ってきたそれで包丁を研ぎあげる手つきは実に鮮やかだった。刃が欠け、波打っていたのが吸い込まれるような輝きを取り戻し、果物ナイフに至るまで、髪の毛を当てて息を吹きかければふたつになってしまうほどの切れ味になった。

もっともそれを使うほうでは、多少の苦労もあった。

とみやでの最初の買い物で、ひろ子は豚ロースとパン粉、キャベツを買った。とんかつを選んだ理由を後から自己分析してみると、これはなかなか大変と、安兵衛を思いとどまらせる可能性への期待がまじっていたとも思う。まあ、できる主婦からすれば、大変というほどでもないのだろうが、ひろ子には十分面倒な料理だった。

安兵衛は悪戦苦闘して肉に衣をつけたが、揚げる段になると油のはねに悲鳴をあげて逃げ回った。キャベツの千切りはもっとやっかいだった。同じ刃物に違いはないとしても、包丁のつかを日本刀みたいに握ってはうまくない。加えて左手の添え方がどうにもあぶなっかしい。出来上がったのは幅が一センチちかくもある、とても千切りとはいえない代物だった。

しかし安兵衛は、いささか落ち込んだふうではあったものの、むしろそれをばねに猛練習をはじめた。

〈包丁ノミネニ向カヒテ真ッ直グニ手ノヒラヲ当テ、力ヲ入レスギヌヤウ軽ク持ツベシ。菜ヲオサヘタル手ハ、猫ノソレノゴトク、指ヲ丸メ、コレニ包丁ヲ沿ハセテ動カスベシ〉

残ったキャベツはこなごなになるまで切り刻まれた。それから何日か、どの料理にもキャベツのサラダかそれを炒めたものが付け合わせられたが、千切りの幅はどんどん細くなって、おしまいには針の穴に通せそうなくらいになった。現代の食事はどんなものでも、江戸に比べればたいへんなごちそうだったに違いないが、下ごしらえから自分でやったほうがさらにおいしく、安くできることを知った安兵衛は、冷凍食品やレトルトに一切手を出さなくなった。

とんかつの次は肉じゃが。その次はからあげ。チャーハン。八宝菜。卵焼き。レパートリーはつぎつぎにひろがり、翌週からは一人で買い物に行ってメニューを決めた。ひろ子が教えられるメニューはほどなく底をついた。料理本のレシピに挑戦する一方で、安兵衛はテレビの料理番組も貪欲《どんよく》にチェックした。ひろ子には、自分がもし専業主婦だとしても、これほど一所懸命料理に取り組むとは思えなかった。

「いやはや、なんとたくさんの料理がござるものよ」

安兵衛が、感に堪えぬようにつぶやいていたことがある。何より料理にはまったのは、食い意地が張っているせいもあっただろうけれども、それが彼にとって、どこまで行っても驚きのたねの尽きない、百八十年後の世界の縮図のようなものだったからかもしれない。

ともかく、安兵衛はかなり有能といっていい家事の担い手になった。そして「主夫」の登場は、ひろ子の生活を大きく変えた。

朝はぎりぎりまで寝ていられる。なかなか洗濯ができなくて、着替えに困るようなこともなくなった。家の中はいつもぴかぴかだ。

とりわけ帰ってきたら食事ができている素晴らしさといったらなかった。「ただいま」と言って家に入る、それだけでも感じるものがあったのに、今やそのまま食卓に直行すれば、湯気のたつご飯を前に「いただきます」と手を合わせられるのだ。

後片付けさえする必要はない。友也に付き合っていっしょにテレビを見たり、本を読んだりしてやれる。ポケモンカードも、じっくり取り組めばなかなか面白いものだと分かって、三人でリーグ戦をはじめた。持ちかえりの仕事がある時は、友也を安兵衛にまかせて集中することもできる。しじゅう感じていたいらいらはすっかり影をひそめた。

友也にもその影響は如実に表れた。遊んでやれないから欲求不満がたまり、だからわがままになって親の手をわずらわせ、余計遊んでやれなくなる悪循環が断ち切られたのだ。目に見えて感情が安定し、保育士から「すごくお兄ちゃんになった」とほめられた。

さらに「お手伝い」の効用を見逃すわけにはいかないだろう。ひろ子はそれまで、友也がやりたがってもダメといってきた。だが安兵衛には辛抱強く見守る忍耐と、「やらせなければいつまでたってもでき申さぬ」と失敗を恐れない度量があった。またやらせるからには子供だからといっていいかげんに終わらせない。ここでも手抜きのない子供との付き合い方にひろ子は感心し、反省しきりだった。

「オレさ、お風呂すごく上手に洗えるようになったでしょ」

得意げに報告する友也は自信に満ち、休日など、食事の準備にも加わって、びっくりするほどの量をぺろりと平らげてしまうようになった。

いろんなことが、とてもいいかたちでまわりはじめた。いつも何かに追いたてられていたのが、余裕をもって周りを眺められるようになった。心にゆとりができると、見えていなかったものが見えてくる。ほどなく、そのよい実例になる事件が起こった。

例の薬局チェーンのソフト開発もどうにか進んで、大詰めのテストをする段階になっていた。そのためにテスト項目をリストアップし、仮に入力するダミーデータを作るのがひろ子の仕事だった。いつもどたばたになる作業だが、今回は早めに、ダミーデータも十二分に揃えてテストにのぞむことができた。

田中にデータを渡し、ひとつずつ打ちこませてプログラムの動きをチェックする。数日にわたって、そんなふうにモニターとにらめっこし続けるのである。

「何でこんないっぱいあるんですかア。たいしたソフトでもないのに」

予想通り田中は文句たらたらだった。現にいくつもバグを出しているくせに、どうしてそんな偉そうな口がきけるのか不思議だが、カッとなることもなく軽く受け流せた。単調な作業にも、緊張を保って取り組める。ゆとりのなせるわざだった。

幸いさしたる問題も見つからないまま、四日に及んだテストは終了した。

「あー、えらいテストに付き合わされちゃいましたよ」

大げさにぐったりした声で田中が言った。

「次からもうちょっと仕事のやり方、考えてくださいよね。いくらテストったって、やたらにやりゃいいってもんじゃないんですからね」

ひろ子は適当にはいはいと答えながら、念のために、プリントアウトされたダミーデータ入りのフォーマットをもう一度ざっと眺めていた。

なんか変だな。

紙にならんだ数字の列に、微妙な違和感を感じたのは、田中が言いたいだけ言ってその場を離れたあとだった。

そのフォーマットでは、ある店舗のひと月分のデータが一覧できるようになっている。一枚ずつ見ている分にはどこにもおかしな点はない。ただひろ子は、そこにあるたくさんの数字のうちいくつかを、別のところでも見たことがあるように思えてならなかった。

積み上げられたフォーマットを繰り、さっきの紙と順に照らし合わせた。あった。店も違う、月も違うある商品の売上げがまったく同じだった。ひとつなら、まだ偶然の一致ということもないではない。だが、次の紙でもそういう例が見つかった。もうひとつ。またもうひとつ。

そこに、炭酸飲料のペットボトルをかかえた田中が戻ってきた。

「何やってんですか。もうそこどいてくださいよ。俺の席なんですからね」

きっとまたゲームでもやるつもりだったのだろう。しかし、赤ボールペンで印をつけた四、五枚のフォーマットを示されると、彼の顔から血の気がさっとひいた。

「どうしたんです、これ」

「私には分からないわ。ともかく数字の出方がおかしいってことだけ」

「ダミーデータのせいじゃ――」

「こんなにぴったり数字が揃う確率ってどのくらいなのかしら」

ひろ子は言った。

「そんなデータをひねりだせるほど、私、頭よくないわ」

原因はまったく単純なプログラミングミスだった。影響があちこちに及んでいたので、修正も簡単ではなかったが、今からならなんとか間に合う。

よほど注意しないと分からないエラーだっただけに、納品したあとも気づかないまま運用される可能性が高かった。発見された時にはクライアントに実損が出ていた、などという場合は損害賠償を求められるケースだってありうる。危機一髪だった。

プログラムを直しているあいだも、田中の顔にはいっこうに血の気が戻らなかった。人形のようにひろ子の指示通り動くが、ちょっと目をはなすと魂をなくしたみたいにぼうっとしている。

「心配しなくていいわ。城崎さんには言わないから」

「どうしてです?」

驚きを含んだ声で田中が言った。

「言ってほしいの？」

　いえ、とんでもないです、というようなことを田中はごにょごにょ口の中でつぶやいた。

「だったら気を入れて直して。これでまたしくじったら、マジでおしまいよ」

　どうにか修正のめどがついた時、田中はひろ子に小さく頭を下げた。

「ありがとうございました」

　彼からそういう言葉を聞いたのははじめてだった。さらに彼は続けて言った。

「今まで、いろいろすみませんでした」


「ほんと、安兵衛さんのおかげだわ」

　その出来事をひろ子は夕食の時、安兵衛に聞かせた。ひろ子も友也にならって、彼のことを安兵衛さんと呼ぶようになっていた。

「なかなかのファインプレーだったわよ。気持よかった」

「確かに、役目がうまくゆくのは気持のよいものでござるからな。拙者にはよう分かり申さぬお役目なれど」

　ことさらにか、興味なさそうに安兵衛は答え、立ち上がると、冷蔵庫から出してきたものを食事を終えかけていた友也の前に置いた。

「うわーい」

待ちきれないように友也がスプーンを突き立てたそのプリンも、もちろんプッチンプリンではなかった。プッチンプリンにあれほど感動した安兵衛だったが、今や自分の手で、数段素晴らしいプリンを作ってみせるようになった。その色艶《いろつや》、カラメルの香ばしい香り、同じプリンという呼び名を使うことがためらわれるほどすべてが違う。

近ごろ安兵衛はスウィーツに力を入れている。何度か飲ませてみて分かったのだが、意外なことに彼は下戸で、学生時代、コンパの女王として鳴らしたこともあるひろ子の相手には到底ならなかった。代わりということなのかどうか、甘いもの、特に洋菓子に目がなく、となれば自分で作りはじめるのは当然の道筋だった。クッキーやパウンドケーキはもちろん、最近は生クリームやチョコレートを使った複雑なケーキも手がけている。

「うもうござるか」

友也は返事するのも惜しむようにわずかに首を動かして、スプーンを口に運び続けた。安兵衛の口元がゆるんだ。

「安兵衛さんも、家事が楽しくなってきたんじゃないの」

「とんでもござらぬ」

はっとしたように彼はひろ子をにらみつけた。

「拙者はやらねばならぬことをやっておるまで」

「大変だったら、早く帰れる時は手伝うわよ」

「いり申さぬ。これは拙者の仕事。ひろ子殿を煩わせては、恩返しになり申さぬ」

ひろ子はひそかに苦笑した。近頃では台所に入ろうとするだけで血相を変えて飛んでくる。こういうところに関して、安兵衛の子供っぽさは友也以上だ。

しかし、気が立つ理由はあるのだ。これくらいですんでいるのは大したものと、思わずにもいられなかった。

安兵衛が来てからいつの間にかひと月余りが経っていた。その間の、ひろ子の生活の思いがけない好転とうらはらに、どうやって安兵衛を江戸に帰すかという例のプロジェクトのほうはまったく進展を見せていなかった。

さぼっていたわけではない。ひろ子はいつもそのことを念頭に、あたりのささいな物音に気を配っていた。どこへ行くにも可能な限り通る道を変えてそれにぶつかる可能性が高まるよう努めた。さらに「体験者」たちの話を探し出し、休みには、タイムスリップと思われる現象が起きたという土地に足を運んだ。

一度は富士山まで行った。富士山のあたりには心霊スポットっぽいものがやたらに多い。ちょっと違うかもしれないと思いつつ、いや、霊とは別の時代からやってきた人のことなのではないかと強引に結びつけた。レンタカーで樹海近くに乗りつけ、迷子になっては元も子もないので、木に目印をつけながらおっかなびっくり分け入った。するとほどなく、聞きつけない音がした。

「あれ、何の音?」

ひろ子は胸の高なりを感じながら言った。

「オレにはういーんっていうより、ぶーんって感じがするな」と友也。

「でも、ういーんと聞こえなくもないんじゃない?」

「あ、ひろ子殿、それは――」

安兵衛の制止は間に合わなかった。音のほうへ笹を分けて踏みこんだひろ子が見たのは、人の頭ほどもあるスズメバチの巣だった。慌てて引き返した。

それ以外には何もなかった。本当に何も。調べれば調べるほど、希望が減ってゆく気がした。正直なところ、江戸時代に通じる道なんて見つかりっこないのではないかと思いはじめた。

支えはただ一つ、そこからやってきた安兵衛という人間が現にいることだ。しかしその道がその時限りのものではなかったという保証はあるだろうか。

仮にそうでないとして、場所が動いていたらどうするのだ。どこに動いたか、どうやって見当をつけるのだ。近所ではない可能性のほうが大きいのではないか。東京、日本ですらないんじゃないか。地球の反対側のアルゼンチンとか、白熊がうろうろしている北極とか、とんでもないところに開いてしまっているのではないか。もっと悪いのは、空間ではなく、時間がずれてしまった場合だ。

こんな疑問があとからあとからわいてくる。資料をひっくり返しても、同じ場所で二度タイムスリップが起きたという例は見当たらなかった。ならばそのあとを追いかけてもしようがない。つまり探しようがない。探しようがないのに努力するのは無駄ではないか。とにかく諦める理由には事欠かなかった。ともすれば安兵衛が江戸から来た人間だということまで疑う気持が首をもたげてくる。その誘惑に打ち勝つのに、探すこと以上の精力が必要になってきていた。

安兵衛本人は相変わらず真剣である。しかし疲れてきているのも間違いない。時々台所のすみでため息をついているのをひろ子は知っている。一人で電車、バスに乗れるようになった彼は、ひと駅ずつ捜索の範囲を広げながら、大きな白地図に歩いたあとを赤鉛筆で書きこんでいる。マンションから半径四、五キロの地域はすでに真っ赤だ。中心ほど赤いその円が、日に日に広がってゆく様子は血がにじんでゆくように見えた。

そんな安兵衛が、菓子作りにささやかな楽しみを見出しているのなら、結構なことといわなければならなかった。からかったりしたらばちが当たる。何しろ友也もひろ子も、ずいぶんその恩恵にあずかっているのだから。

安兵衛の楽しみといえば、もう一つ欠かせないものができた。

前にはテレビも料理番組ばかり見ていたのが、時代劇の大ファンになった。いかにも彼らしいのは、友也にあわせて一日一時間の枠をきっちり守っていることだが、中でもお気に入りの「まっぴら将軍」には、何をさしおいてもその枠をわりあてた。最初に見たのも「まっぴら将軍」だった。どんな反応をするか興味があって、夕方に再放送していたのを録画しておいて見せたのだ。

「や」

葵《あおい》の紋の羽織をまとった松平平次が砂浜で白馬を走らせるタイトルバックに、安兵衛は目を見張った。

「上様、上様ではござらぬか。こちらにも上様がおられるのか」

息を止めて食い入り、そばにやってきたひろ子に「どこなのでござる。どこに上様はいらっしゃるのでござる」と迫った。

「違うのよ、安兵衛さん。残念だけどこれはお芝居。今の役者が上様に扮してるのよ。ほら見てみて」

ひろ子はアップになった松平平次の顔に、うっすら浮かび出たかつらの継ぎ目を示してみせた。

「そうでござったか。言われてみれば、なんとも男前の上様でござったが――」

安兵衛はがっくり肩を落とした。慌ててひろ子は言った。

「でもね、これは私たちも江戸に興味があるってことよ。上様とかお侍とかが好きだから、わざわざ江戸時代の恰好をして、舞台もそっくりに作ってお芝居をするのよ。それは分かってもらえたでしょ？」

小さくうなずいて安兵衛は画面に目を戻したのだが、本編がはじまるとまた奇声をあげた。

「上様が、ど、どうしてこのような町家に、供もなく――」

「これはね、上様が時々普通の旗本に化けるってことになってるのよ」

「そのようなはしたないまねを上様がなさるはずがござらぬ」

「だからお芝居なのよ」

「いくら芝居でも。恐れ多くも上様を――けしからぬことでござる」

「ほら、何となく吉宗って庶民派っぽいイメージあるから」

「上様を呼び捨てとは何ごとであるか！」

ひろ子は首をすくめた。それからも安兵衛は文句を言いっぱなしだった。

「これが奉行所？　まるで寺ではござらぬか」

実際お寺でロケをしているんだから仕方がない。

「お庭番は軽業師ではござらぬぞ。そもそも軽業師であったとて、人がこのように木から木へ飛び移れるわけがあり申すか」

ごもっとも。

奉行が直接岡っ引と口を利くのはおかしいとか、このような着物の柄が流行ったのは吉宗の時代よりあとだったはずとか、果ては岡場所の女たちが美人すぎるとか、その指摘は詳細を極めた。

確かにどんな学者だって安兵衛には太刀打ちできない。日本一の時代考証家なのだ。気になるところばかりだったろう。ＮＨＫの大河ドラマならもう少しましだったかもしれないが。

けれども、安兵衛は悪態をつきながら、大いに楽しんでもいた。

悪徳商人とつるむ悪代官。不正を告発しようとした手代が殺され、仇討《あだう》ちに乗り込んだ恋女房も囚われの身になって、その命風前のともしび。

と酒をくみかわす悪者どもの杯が宙にはね飛んだ。床柱に突き立った小柄《こづか》。

お約束のテーマ曲が流れ出した時、こぶしを握りしめてまたたきもせずにいた安兵衛が、「上様」と小さく叫んだのをひろ子は聞いた。殺陣《たて》のあいだ、彼の右手は松平平次の刀さばきに合わせて、右に左に動いていた。「成敗」のキメ台詞《ぜりふ》とともについに親玉がたおされ、松平平次は刀を鞘に静かに納める。月光を照らして、葵の御紋がきらりと光る。

ふ――――っ、と安兵衛は長い長い息をついた。

「結構、悪くないって感じ？」

表情をうかがいながら尋ねると、やっと我に返ったらしくひろ子のほうを見、それからちょっとうつむいた。興奮しているのを隠そうとしたのだろう。

「意外に、みせるところもあり申したな」

「そう、よかったわ。喜んでもらえて」

それでひろ子は、夕方の放送時間を教えてやった。タイムトンネル探しが行き詰まってくると、時代劇は江戸を思い出させてかえって辛いのではないかと思ったが、未《いま》だに欠かさず見ているのは、忙しくて時間が合わなかったらしい日、ＤＶＤレコーダーをチェックするときっちり録画予約されているので分かる。役柄を超えて、松平平次のファンになったようにも思える。悪ノリの気味がないでもない「まっぴら体操」まで、安兵衛は嬉々としてやっていた。

ふと目を上げると、安兵衛は先に食べ終わったのかいつの間にかまた台所に入っていた。友也が、あいた皿を食卓から運んでは手渡ししている。

「後片付けがすんだら、本を読んで差し上げるゆえ」

ひろ子の視線に気づいて、安兵衛は「お構いなされず、ゆっくり召し上がられよ」と言った。

「ああ、そうじゃ。そろそろ友也殿も、論語を始められたほうがよいと存ずるのじゃが」

「せっかくだけど、それはしばらくいいわ。こっちじゃあんまり読む人いないから」

「そうなのでござるか」

安兵衛は残念そうにつぶやいた。

こんな調子で秋は深まっていった。せめて、「まっぴら将軍」の再放送が終わってしまわないことをひろ子は祈った。幸いストックは十分にあるようで、当面その心配がなさそうなのは救いだった。

　お菓子作りにかける安兵衛の情熱は高まるばかりだった。ひろ子はミキサーやケーキ型を揃えてやり、コワントローだのグレナデンシロップだの、ひろ子には何がなにやらさっぱり分からない材料類も、自由に買うことを許可した。

　その成果は投資に十分見合うものだった。あんまりたくさんのお菓子が作られて、ひろ子と友也だけでは食べきれなくなり、週末、平石一家を招待した。

「旦那、今日もゴルフでさあ」

　片手に赤ん坊を抱き、もう一方の手に折りたたんだベビーカーをぶら下げた佳恵が、悠樹といっしょに玄関に入ってきた。と母子は同時に鼻をひくつかせ「すっごくいい匂い」とつぶやいた。

「安兵衛さんがお菓子なんてさ、人は見かけによんないよね」

　ささやいた佳恵に、ひろ子は「でも結構おいしいのよ」と言った。

「びっくりするかも」

「仕事まだ見つからないの」

　佳恵ほか、安兵衛を引き合わせることになった人たちには、そのために東京に出てきたと説明していた。

「景気、戻ってきてるっていうけど、思うような働き口はなかなかないよね。あの人、資格とかあんの？」

「そうねえ」

ひろ子が言葉を濁す間にリビングに一歩足を踏み入れて、佳恵と悠樹は本当に度肝を抜かれていた。

「うそ」

「まじ、すげー」

食卓に十種類ほどのケーキがところ狭しと並んでいるさまは、三ツ星レストランのデザートワゴンを彷彿《ほうふつ》とさせた。いや、ひろ子も噂《うわさ》に聞くだけで体験したことはなかったのだけれど、きっとこんな感じだろうと思った。

「わざわざご足労いただき、恐縮でござる」

食卓のかたわらには、安兵衛がナイフとケーキサーバーを持って立っていた。

「お口に合うかどうか分かり申さぬが、どれなりと、好きなものをお選び下され」

友也と悠樹は全種類をリクエストした。大人たちははじめは半分くらいにおさえていたが、あとで残りも味見と称して食べてしまった。赤ん坊まで、口のまわりと指をクリームだらけにしてぱくついた。

紅茶には、別に小さな焼き菓子が添えられていた。さすがにそれを口に押し込む時は苦しげな顔になりながら、佳恵は言った。

「お店出せるよ、安兵衛さん」

「お褒めにあずかり、恐縮でござる」

「お世辞抜きで」

佳恵の表情は真剣だった。

「やんなきゃもったいないよ」

5

十一月に入ったある日のことだった。

その日は朝からずっと外回りの仕事が続き、ひろ子は昼休みの時間になってやっと会社に戻ってきた。オフィスに入ると、社内連絡用の掲示板前に、五、六人の人だかりができている。何だろうとのぞこうとしたら、人だかりの中にいた田中基彦がひろ子に気づいて場所をあけた。

「これ、遊佐さんにぴったりじゃないですか」

見ればそれは、SE技能向上を目的にソフトウェアメーカーが開いている講習会のお知らせで、三日間の講習を受けたあと、検定で上級エンジニアの資格が得られるというものだった。イートンとしても、会社が認めた者には参加費用を負担するという。

経験二〜三年のエンジニアを対象にしており、ひろ子はちょうどあてはまる。将来のことを考えてもほしい資格ではあった。

「でもだめよ」

「どうしてです」

田中はもったいないという顔をした。あの一件を彼はひどく恩に着て、以来見違えるほどまめまめしく働くようになった。考えられなかったことだが、ひろ子の仕事には自分から手をあげ、気合の入ったプログラムを組んでくれる。おかげで新しいプロジェクトも順調そのものなのが、何だか気持悪いくらいだった。

「場所が横浜でしょ。講習が六時までだと、どう頑張っても子供迎えにいけないもの」

「いとこの方っていうのに頼んじゃ駄目なんですか」

ひろ子は耳を疑った。どうして田中が安兵衛のことを知っているのだ。

ひろ子が詰め寄るように尋ねたのに田中も驚いたようだったが、「昨日、病院で――」と説明をはじめた。

二週間ほど前、イートンで社員の健康診断をやったのだが、田中はバリウムで「要精密検査」になってしまい、指示されたお台場の病院に出向いた。幸い結果はなんでもなかったそうなのだが、そこで係になった看護師が佳恵で、健康保険の社名がひろ子の勤め先と同じだということからいろいろ話をしたらしい。

「すごく面白い人なんですって？　このあいだ会ったばかりだからまだいらっしゃる

んじゃないかってその看護師さんは言ってたんですけど」

「たしかにいるけど……」

「ならぜひ行ってくるといい」

今度は後ろから声がした。振りかえると城崎敦士が立っていた。

「遊佐さんは無理だと思っていたが、ちょうどいいじゃないか。滅多にないチャンスだろう。いや、行ってきなさい」

ほとんどうむを言わさない調子だった。ひろ子の好調ぶりには城崎も目をとめており、ご褒美のつもりのようでもある。むげに断れなかった。

安兵衛に伝えるのは気が重かった。嫌がられると思ったのではない。それどころか彼は、前から何度も、送り迎えも自分がやると申し出ていた。しかしひろ子のほうではそれだけは頼まずにきた。

積極的に人前に出すのはやはりはばかられた、というのもある。けれどそれ以上にひろ子は、それだけは守らなければならない一線であるような思いを、ぼんやりとだけれど持っていた。そこまで安兵衛にやらせたら、何かが根本的に変わってしまって元に戻れなくなってしまいそうな。

「ぜひ行ってきなされ」

事情を話すと、彼は予想通りに二つ返事で引き受けた。

「役目についておられる以上、己を常に磨きつづけねばお上に申し訳が立たぬというもの」

「私は会社のために働いてるわけじゃないわ」

「禄をいただいておられるのじゃから、上様でも会社でも同じでござろう。友也殿のお世話は拙者の役目。きっと間違いのう務め申す。ご心配めさるな」

実際、その日がやってくると安兵衛はきちんとお迎えをこなした。いつものジーパンで構わないのか、保育士への手土産はいらないのかとあれこれ尋ねてくる張りきりようで、ただ普通に行ってくれればいいと言われて物足りなさそうにしていたが、田舎から出てきて居候しているフリーターのいとこという役割をそつなく演じ、ぼろの出るような振る舞いもしなかった。最近では、必要があれば現代語もどうにかしゃべれるようになっている。だが、ひろ子の予想はそのあとのことについても当たってしまった。

講習会の翌週、急に入った残業をひろ子は断れなかった。次の週には、クライアントの都合で夕方からになったプレゼンにどうしても出るよう言われ、そのまま接待に駆り出された。その仕事は見事イートンに落ち、ひろ子は一気に四人の部下をまとめるプロジェクトの責任者に指名された。納期は年内だった。

翌日から、定時に会社を出ることはなくなった。帰りは九時、十時で普通、遅ければタクシー。友也が起きているうちに家に着けるのが珍しくなってしまうまで、自分でもわけがわからないくらいあっというまだった。

何だか変な感じになっちゃったな——。

自分は子供ともなかなか会えない仕事の虫状態。一方、安兵衛のほうは来る日も来る日も家事に明け暮れる。

すごく珍しい気がする一方で、男と女が入れ替わっている点をのぞけば、世間の標準型に落ち着いたようにも感じられた。とはいえ子供と会えないのがいいことだとはもちろん思わない。それはやはり自然じゃない、いびつなあり方だった。

でも、忙しくなって改めて分かったこともある。

やっぱり仕事は面白い、ということ。そして、いい仕事をするためには、家庭をかまっていられない時もあるということ。

定時のうちに無駄なくきちんと仕事をすませ、あとはプライベートに使う。理想だろう。でも現実は違う。

システムに、いかに顧客の要望を盛りこんでゆくか。全部が入りきらないなら、何を切るべきか。それがなくなった代わりに、入れられるものはないか。何時間考えたら答えが出てくるというものではない。むしろ、無駄をつみかさねた末に思いがけずぽろりと生まれる。その瞬間をじっと待たなければならない。また仕事は一人でするわけではない。顧客の説得、上司との折衝。思うように動いてくれない相手との共同作業を成功させるには、やはり待つことが重要なのだ。そうした営みは、毎日決まった時間に保育園に足を運ぶことと相容《あいい》れない。

　仕事と家庭と、両方うまくやることはできない。身もふたもないけれども、そういうことだ。飛びぬけた才能の持ち主なら違うかもしれない。たとえばヒラリー・クリントンみたいな。しかし凡人には到底無理だ。世の中を変えるべきなのかもしれない。だとしても、そういう世の中に、現にひろ子は生きているのだ。

　大部屋にもう人影はまばらだった。ほとんどがひろ子のチームだ。カタコトとキーボードを叩く音が響く中に、時折、ビルの下を通る車の音がまじって、青っぽい蛍光灯の光に染められた空気を揺らした。

「遊佐さん」

　田中がひろ子の机にやってきて、ディスクを差し出した。それをひろ子は自分のパソコンにセットした。

「ボタンがここだと、ちょっとマウスがずれただけで間違ってリセットのほう押しちゃいそうに思わない?」

「そうですね」

そのほかにもいくつかのダメだしをした。田中はひとつひとつメモをとると、返したディスクを持ってプログラマー席に戻った。手直ししたのが上がってくるのは何時になるだろうか。しかしここでひろ子が先に帰ってしまったら、彼はどう思うだろう。せっかく築いた信頼関係が、またおかしくなるかもしれない。逆に、自分の心がチームのみんなに伝わって、一丸になって目標に向かっていることが感じられる時の高揚感は、なにものにも代えがたかった。

〈まだ大分かかりそう。先に寝ていてください。〉

メールを打った。このあいだから安兵衛にも携帯を持たせている。そう伝えたところで、彼が絶対に起きて待っていることも分かっていたけれど。

その十二月は、前の会社にいた時もふくめ、ひろ子がこれまでに経験したなかでもっとも忙しいひと月だった。中旬からは、あちこちの忘年会から声がかかって、宴会のあとでまた会社に戻る毎日で、週末も返上で働き続けた。どうにか仕事納めの二十八日に間に合って、クライアントのオフィスに届け無事デモが終わった時は、ぐったり力が抜けるとともに達成感がこみあげてきて思わず涙が出そうになり、慌ててトイレに飛び込んだ。化粧を直して出てくると、チームのみなが廊下に並んで待っていた。ねぎらいの言葉をかけると逆にみなから拍手されて、人目もかまわず泣いてしまったのだった。

少し考えたが、いつも通りに岐阜の実家で正月を過ごした。離婚してからは毎年そうしていたし、今回もやめないほうがいいと判断した。いうまでもないが安兵衛には留守番をしてもらい、友也とふたりだけでの帰省だった。実家に彼をともなうのはややこし過ぎた。安兵衛に携帯を買って、未だにマンションの電話をとらせないようにしているのは、親がかけてきた時の用心でもある。

新幹線と在来線を乗り継いで四時間少々。安兵衛を人に田舎のいとこと紹介する時、すっごいいなかだからと訛《なま》りにことよせて言葉遣いをごまかしていたことがあった。ちょっとはずれに行けば狸《たぬき》くらいいるらしいが、実際はそこそこ大きな町である。

駅には、父が迎えにきてくれていた。車を見つけて近づいてゆくと、向こうも気づいて出てきた。

「ありがとね」

「変わりないか」

「会社が忙しくなったくらいかな」

ちょっと心がむずむずしたが、おさえてひろ子は微笑《ほほえ》んだ。

「ほう」

「下につく人も増えちゃって。結構大変なものね」

父は「そうかい」と言うと、かがんで友也の高さになり「もうじき小学校だな」と話しかけた。

「小学校ってどんなところ？」

「いろんなことを習うんだよ。算数とか国語とか。大人になるために必要な勉強をさ」

ワゴン車の荷台を父があけた。「私が」と言おうとしたけれど、その時にはもうひろ子のバッグは父の手に握られていた。役場を定年になったあとも二年前まで嘱託で働いていた父は、六十四歳になったはずだけれど、最近の日本人らしくというべきか老人臭いところを探すのが難しい。今のところ病気らしい病気もないらしいのは、ともかくありがたいことだった。

東京の風景を思い浮かべると、建物が間引きされているみたいに見える通りを十分ほど走って家に着いた。ひろ子が中学生の時に新築したもので、ひろ子と弟が巣立ってからも基本的にはそのまま使っている。台所と居間が完全に分かれたつくりがなつかしさをそそる。

五十九歳の母は台所で忙しく働いていた。安兵衛もいっしょだったら、おせちの作り方、中でもこの地方の伝統的な正月菓子だといううすい餅《もち》など、目の色変えて教わろうとしただろうとその様子を想像しておかしくなった。ひろ子はといえば、母にはじめからほとんどあてにされていなくて、「まああんたは休んでなさい」と言われてしまった。だが友也がおばあちゃんを手伝うといってきかなかった。

「子供はお手伝いしなきゃいけないいんだよ」

「まあ、偉いこと言うんだねえ」

「そうよ、最近とっても友也、偉くなったのよ」

「それじゃ、あんたにもやってもらわないわけにいかないわね」

母は笑って、うすい餅の皮を練る役をひろ子と友也に与えた。友也は汗だくになってボウルの中の粉と格闘し、おばあちゃんからほめられた。

「なんかずいぶん大きくなったみたいじゃないの。気持のほうもさ」

言われてひろ子も誇らしくなった。同時に安兵衛を会わせられないのを改めて残念に思った。

しかしもっと安兵衛のことを話したくてたまらないのは友也のほうに違いなかった。出発前に言い含めてはおいたけれども、どうしてしゃべってはいけないのか、わけが今ひとつ呑みこめていないだけに不満がある。

元日、岐阜で保険会社に勤めている弟の一家がやってきた。弟は「飛行機ブンブンブンはかんべんだよ」と、友也を見るなり予防線を張った。

「もういいんだよ。やってくれる人、できたから。すごく強いんだよ」

「へえ。そりゃ良かったじゃない」

幸い弟はのんびりした性質《たち》なのでそれ以上詮索《せんさく》されることもなかったが、ひろ子ははらはらした。

こんなこともあった。

「ねえ、ういーんって音がするとこ知らない?」

いきなり尋ねられて、父は面食らったに違いない。

「ういーん?　オーストリアの首都かな?」

「違うよ。江戸だよ。江戸に行きたいんだよ」

「おじいちゃんにもそれはちょっと分からないと思うわ」

ひろ子は慌てて割りこみ、友也に警告の視線を送った。友也はそうだったというふうに小さく舌を出し、やっとその話をやめた。

弟の子供は二人いる。上は女、下が男。友也が一番年かさだが、ここで顔を合わせればいっしょになって家中走りまわっている。

「友也もきょうだいがいれば良いんだろうけどねえ」

「小学校に上がると、何かと大変になるんじゃないのか」

親が元気だということは、それだけひろ子をまだ子供扱いしたがることにもなる。二人とも遠い土地で母子家庭をやっている娘が心配で仕方ないのだ。

「大丈夫よ。友也がしっかりしてきたの、見てもらったでしょう。赤ん坊の頃よりずっと楽よ。病気なんかもあんまりしなくなったし」

「そうはいってもねえ。知恵がついてくればいつまでも無邪気じゃいられないし。ひとり親だって学校でからかわれたりしたらねえ」

岐阜に帰ってくるのでなければ再婚を、と望んでいるのは知っていた。娘の仕事ぶりなんて彼らにはほとんど意味がないことなのだ。頭ごなしに説教したりはしないけれど、それだけにプレッシャーを感じるところもある。

シングルマザーなんて、今じゃ珍しくもなんともないのよと言いたい気持はあった。

事実、これまで何度か声を荒らげて反論した。けれども今年はちょっと違った。ナンセンスと思いながらも、黙って聞いていた。いや、心は離れた場所に飛んでいた。

安兵衛は今、何をしているだろうか。

今も「ういーん」を追いかけて街を歩き回っているのだろうか。もちろんそうに違いない。彼が一番しなくちゃならないことはそれなのだから。家の雑巾がけや、お菓子作りじゃないんだから。

しかしその通りだとしたら寂しいとも思った。向こうも寂しがっていてほしいような気がした。ひろ子が安兵衛のことを考えているように、安兵衛にもこちらのことを考えていてもらいたかった。

ひろ子は、正月休みを一日残して、東京に戻ることにした。

「そうかい。どうせだったらぎりぎりまでおればいいのに」

引きとめる母に、仕事の段取りがあるからと言い訳をし、荷物をまとめた。

「ほんと、仕事も大変なんだろうけど、身体にだけは気をつけてな」

持たされたうすい餅をバッグにつめながら、「ありがと」と答えた。その荷物を、父が無言で車に運んだ。

そうして作った東京での休日、三人は上野に出かけた。

「ほう！」

最近ではたいていのことに驚かなくなった安兵衛が、思わずというふうに声をあげた。

「絵で見たことはござったが、これほどのものとは――」

象が小さなりんごをその鼻でつまんで口に運ぶと、彼の目はまた丸くなった。

安兵衛をこういうところに遊びに連れていくのは、実は初めてだった。週末の調査活動は、しばらく前から悪いと思いながら休止してしまっていたのだが、安兵衛一人で出かけてゆくので機会もなかったのだ。

しかし今日は、気分転換を口実に、強引に安兵衛を誘ってきた。気分転換が必要だと思ったのは本当のことだ。しかしそれだけでもない。ひろ子は確かめたかった。何を確かめたいのか、自分でもはっきり分かっていなかったのだけれども。

動物園という選択は当たっていたようだった。どちらかといえば真冬に行くところではないせいだろう、人もそれほど多くなくてのんびり見られたし、しかしぽかぽかとしたいい天気で、寒さに悩まされることもなかった。暮れから、本当にこれで冬になっているのかと毎日いぶかっている安兵衛など、ジャンパーを置いていこうとしたくらいだ。

彼は象のほか、キリン、カバといった巨大な草食動物に感嘆し、ゴリラやチンパンジーの人間臭い動作に大笑いした。一方で猛獣類は、中国の絵などである程度馴染《なじ》みがあって、本物を見てみたいと前から思っていたらしい。中でもトラは、自分から「おり申すか」と尋ねてくるので、トラ舎の前にいっしょに行くと、子供がヒーローものの着ぐるみショーでも見るように身体を乗り出して見入った。するとトラも何の拍子にかこちらにのそのそ近づいてきて低くうなった。ほかの見物客たちが喜んでいる中で、安兵衛の顔がさっと青ざめたのをひろ子は目撃した。

こういうところはほんと、可愛いんだけど――。

動物園を含む上野公園一帯が、その昔寛永寺の境内だったことをその日はじめてひろ子は知った。安兵衛が、たしかこのあたりはそうだと言い、こんなに広いお寺なんてあるのかしらと思っていたら、たまたま見かけた立て札に同じ説明が出ていたのだ。そこには、明治維新で官軍幕軍がもっとも激しい戦闘をくりひろげた場所ともあった。そちらのほうはひろ子も学校で教わっていた。

「例の、幕府がなくなったいくさのことでござるな」

その時はたいへんな剣幕だった安兵衛だが、今日は淡々とした口調で言った。

話がそこに来たからには、見せないわけにいかないものがあった。ひろ子は葉を落とした木々のあいだの緩い坂道をのぼった。ふいに視界が開けたその先に大きな像が見えた。

「この人が幕府に政権を明け渡させたのよ」

「ずいぶんどんぐりまなこの男でござるな」

そこにも説明の立て札があったのに安兵衛は目をとめた。

「薩摩《さつま》でござるか」

「でもこの人、最後は明治政府に反抗して殺されちゃうの」

「そう書いてあり申すな」

安兵衛は身体の向きを変え、こちらに背を見せて丘の下の風景に目をやった。巨大な工場みたいな上野駅と、浅草方面に続くごみごみとした街並みが広がっていた。

「これが今の東京となあ」

「どこか、分かるところある?」

その問いに対する答えはなかった。もっとも答えるまでもないことではあった。かわりに安兵衛はひとり言のようにつぶやいた。最後のほうで声がわずかに震えていたように思ったのは気のせいだったろうか。

「万物流転というやつでござるか」

しかし彼はしめりかけた空気を振り払うように、勢いよくまたこちらに向き直ると友也に呼びかけた。

「このあたりが広くてよいようでござるぞ」

「うん」

友也は目を輝かせて背負っていた細長いケースを下ろした。安兵衛も大きさは大分違うけれども同じようなケースをかついでいた。ファスナーを開けて、二人はそれぞれの竹刀《しない》を取り出した。

約束した通り、安兵衛は友也に剣道の手ほどきをはじめていた。普段は近所の公園でやっているが、今日は大きな公園に行くのだと言うと、せっかくだからそこで稽古《けいこ》をしようと、竹刀を持参したのだ。

稽古といってもまだ素振りが中心だ。二人が並び、中段の構えからいっぱいに振りかぶった竹刀を元の位置まで振り下ろす、その動作をリズミカルに繰り返す。安兵衛の野太い気合に負けじと、友也も黄色い声を張り上げる。

しかし先生の指導は相当に厳しい。

「腰が入っており申さぬ」

「踏みこみが甘《あも》うござる」

次々に指導が飛び、友也ははいッ、はいッと返事をしながら、なかなか思うようにいかなくて顔を歪《ゆが》める。安兵衛のほうは時々フォームをチェックして、言ったことができるようになるまで単調なその動作を繰り返させる。けれども友也も音を上げたりはしない。歯をくいしばって竹刀を振り続ける。安兵衛にはまだまだ注文をつけるところがあるのだろうが、しばらく見ないうちに、ずいぶん竹刀の動きが鋭くなったのがひろ子にも分かった。踏み込んで打ち、また下がる足のさばきも、流れるようななめらかさが出てきた。

素振りが終わると、今度は安兵衛が水平に差し出した竹刀に打ち込みを入れる稽古になった。いつの間にか二人のまわりに見物人が集まっていた。パシンと小気味よい音が響きわたるとほうと感心したような声があがった。二人はおかまいなく稽古を続けている。アンダーシャツ一枚になった友也の額には汗が浮かび、身体全体から湯気が立ち上っていた。

自分はこの上ないパートナーを手に入れたのではないか？

ひろ子は思った。

これは一つの理想形といえないだろうか。仕事は順調だしやりがいがある。しかも家のことを心配せずに存分に仕事に取り組める女なんてどれだけいるだろう。

確かに友也を少しずつとられてゆくようなのはつらい。でも仕事と家庭、どちらも満足なんて無理と分かった。それにまったくコミュニケーションできないわけではない。現に今日はこうやっていっしょにいる。たまの休みはゴルフだったり、毎晩飲みにいったりなんてことがないのは女の有利な点だ。

安兵衛は本来ここにいるべき人じゃない。それはもちろんだ。江戸に帰らなくちゃいけない。たくさんのものを江戸に残してきている。まず何より侍であること。上様。ちょんまげ。そのほかのさまざまな暮らしの習慣。友人たち。そして家族。

東京から少々離れてはいるけれど、その気になればいつだって岐阜には行ける。けれど安兵衛は、母親の元に戻ることができるのだろうか。息子の突然の失踪《しっそう》におろおろしているに違いない彼女に、手紙ひとつ出す方法がみつからないのだ。胸のうちはどんなだろう。

けれど安兵衛はぐち一つこぼさない。黙々とひろ子たちのために家事をやってくれる。友也の面倒を見てくれる。

切なく、ありがたいことだった。すでにひろ子の生活は安兵衛なしでは考えられなくなっている。文句など言っていられない。

救いは、安兵衛が家事嫌いではないらしいことだ。そして彼のほうにも、ひろ子から得るものがあることだ。一人で現代に放り出されたら、それこそホームレスになるしかなかったのも間違いなさそうだったから。

ギブアンドテーク。押しつけのない役割分担。完璧《かんぺき》だ。

安兵衛さえ、いつまでもこのままでいることを受け入れてくれるなら。

しかし、このままでいるって、どういうことだろう。

頬が熱くなるのをひろ子は感じた。

とんでもない話だ。とても考えられない。背なんかひろ子とほとんど変わらないし、超おじさん顔だし、それだからつい忘れそうになってしまうけれどほんとはまだ二十五なんだし。絶対無理。いくら今はギブアンドテークがなりたっているからって、ものごとの考え方は何から何まで違うし——。

向こうだって、こんなおばさんを相手にしたくないだろう。でも、だとすると安兵衛は、ただお金のためにひろ子といっしょにいるということなのか。それはきつすぎる。

冬の太陽はいつのまにか、さきほどそのあいだを抜けてきた木々の梢《こずえ》にかかるほど低くなって、気温も下がってきていた。ほうっておくといつまでも稽古を続けそうな二人にそのことを教えて、帰ろうとうながした。

「では友也殿、おしまいにするでござるか」

「ありがとうございましたッ」

礼もばっちり決まっている。友也は竹刀を片付けはじめた。が、安兵衛はまだそれを離さない。静かに目を閉じ、八双《はっそう》の構えをとった。

「ヤッ。タッ。トウッ！」

見えない相手を右に左になぎはらう。華麗で豪快な型だった。遠ざかりかかっていた見物人たちが、再び足を止めて見入った。

「成敗」

見物人たちの拍手を浴びながら、安兵衛は得意げにひろ子たちのところへ戻ってきた。

「どうでござる」

「すごいわ。本当にまっぴら将軍みたい」

ひろ子の賞賛を受け、鼻の穴をふくらませた安兵衛に、しかし友也は言った。

「でも、今は人に刀を向けちゃいけないんだよね？」

ひろ子がはっとしたその時、安兵衛も友也に向き直った。友也はじっと安兵衛を見上げている。

「そうでござったな」

安兵衛はつぶやいた。

「前、ママが言ってたよね。こっちじゃ、そんなことしたらおまわりさんに捕まっちゃうって。オレ、やすべえさんが捕まったりしたら、すごくいやだから。だから、相手が悪者でも、『せいばい』はしないで」

「分かったでござる」

安兵衛は友也の頭を撫でた。

「約束だよ」

「約束するでござる」

本当に大きくなった。しみじみと感じながら、ひろ子は持ってきていたうすい餅を友也に差し出した。

「安兵衛さんも食べる？」

安兵衛はそれをぺろりと平らげて「うもうござる」と言った。

「そう。よかったわ。これ、うちの実家で作ったのよ」

「オレもおばあちゃんのお手伝いしたんだよ」

「ほう。それではぜひ、母上に作り方を聞いておいてくだされ」

想像通りの反応にひろ子は噴き出し、安兵衛はけげんな顔をした。

「何でもないの。さあ、行きましょう」

まだ軽く息をはずませている友也を真ん中に、ひろ子と安兵衛が両側から手をつないで駅へ向かった。駅前の石畳に、三人の長い影が伸びた。安兵衛と出会った日のことを思い出した。安兵衛もだったかどうかは分からなかったが。

「そのうち、友也殿も打ち合いの稽古ができるでござろうよ」

電車の中で安兵衛はそう言った。

「そのうちっていつくらい？」

「二、三ケ月というところでござろうかな」

「ほんと？　やすべえさん」

目を輝かせた友也に、ひろ子は「学校に上がったら、防具を買ってあげるわ」と約束した。

「安兵衛さんの分もね」

「かたじけのうござる。こちらには随分良い具足があるようでござるな。怪我の心配もござらぬ。もっとも、具足を着けての稽古は、夏暑いのが難点じゃが」

「こっちの夏は大変よお」

「冬がこれほど楽なら、少々は構わぬではござらぬか。暑うて死ぬことはござるまい」

「それがそうでもないのよ。ほんと、死人が出てもおかしくないくらいよ」

「大げさでござるよ」

「体験してみたら分かるから」

口にしてひろ子は、さっき混乱して考えるのをやめてしまった問題にまた引き戻された。

この夏、安兵衛はひろ子のそばにいるのだろうか。もっと先、例えば友也がちゃんとした剣道の試合に出られるようになる頃にはどうなのだろうか。

そしてその時、自分たちの関係はどうなっているのだろうか。

松がとれてしばらく経った頃のことだった。

会社も正月モードから完全に脱していた。ひろ子はまた別のプロジェクトのリーダーを命じられ、暮れほどではないにしても、なかなか安兵衛、友也と夕食をともにできない日が続いていた。その夜もマンションに帰り着いたのは九時過ぎだった。友也を起こしてはならないと呼び鈴は押さず、バッグから鍵を出して自分でドアを開けた。小さく「ただいま」と声をかけながらリビングに入ろうとした。

「おかえり」

友也が駆けよってきた。

「どうしたのよ。もう寝てる時間でしょ」

こんなことは滅多にない。びっくりして言うと、わきから安兵衛が「申し訳ござらぬ」と、本当に申し訳なさそうに口をはさんだ。

「ちょっとひろ子殿におうかがいせねばならぬことがござって。拙者にもよく分からぬので、ひろ子殿をお待ちしてよいと申した次第」

「何なの、一体」

「これ!」

友也がさっと一枚のハガキを差し出した。受け取って眺めると「東日テレビ／お父さんの手作りケーキコンテスト」という文字が目に入った。

〈このたびはご応募いただきありがとうございました。厳正な審査の結果、木島安兵衛様が書類選考を通過されましたことをお知らせします。実技による予選は以下の要領で行われます。日時・一月十八日午前十時集合　場所・東京クッキングスクール〉

そこまで読んでひろ子はぽかんとした。

「ママが申し込んだんだよね」

「知らない」

「断じて拙者ではござらぬ」

安兵衛が憤然と言いきった。

「見なされ、友也殿。これはきっと偽物でござる」

「そうかなあ」

「そうに決まっており申す」

しかし改めてハガキを調べると、東日テレビの番組名も合っているし、ロゴも正確だった。すべてきちんと印刷されていて、イタズラとは思いにくい。そしてそこにはっきり書きこまれた木島安兵衛の名。この世に安兵衛の存在を知っている者自体、そんなにたくさんいるわけじゃないのに。

その時突然ひらめいたことがあった。ひろ子はそれを確かめるために電話をかけた。

平石佳恵は二回のコールですぐに出た。

「え。受かっちゃったの。すごい。やってみるものね」

彼女はまったく屈託なかった。

「でもありゃいけるよね。写真でも、ほんとおいしそうに見えたもの」

このあいだうちに呼んだ時、彼女が携帯でケーキの写真をさかんに撮っていたのをひろ子は思い出したのだ。会社に安兵衛のことがばれたのも佳恵のせいだったが、またやってくれたというわけだ。

「勝手に応募なんかされたら困るわ」

「いいじゃない。安兵衛さん、あれだけ上手なんだもの。ほんと、何かしなきゃ損だって」

「だとしてもさ」

「あ、ご免。私今日、夜勤で。あんまり話してられないんだ。じゃあね。安兵衛さんに予選頑張ってって伝えといて。予選通ったらテレビ出られるんだよ。私もわくわくしちゃう」

それだけ言って、電話は切れてしまった。

「ほら、やっぱりニセモノじゃなかったでしょ」

やりとりを聞いていた友也が嬉しそうに言った。逆に安兵衛は憮然《ぶぜん》とした表情を強めた。

「拙者にはやはり関係ないものでござる。友也殿。拙者、絶対にそんなものには出場いたしませぬぞ」

「どうしてだよ」

「どうしてもこうしてもあり申さぬ。こんてすととは、いうなれば御前試合でござろう。拙者が普段やっておるのはあくまでうち向きのこと。公の場で披露するものではござらぬ」

「出てよ。やすべえさん。テレビに映るんでしょ。オレ、見たいよ。みんなに自慢できるしさ」

「だめでござる」

安兵衛はぴしりと言い、友也は口をつぐんだ。大人には従う。それが安兵衛が徹底させたルールだった。

「さ、寝る時間は過ぎてござる。早く歯を磨かねば」

「私も安兵衛さんに出てほしいわ」

ひろ子のひとことに、洗面所に向かいかけていた友也と安兵衛が同時に振りかえった。

「何と申される、ひろ子殿。たった今、平石殿に抗議されていたではござらぬか」

「ちょっとびっくりしたからああ言ったけど、考えてみたら滅多にないチャンスじゃないでござる」

「何のちゃんすでござるか。てれびに映るなど拙者、まっぴらでござる」

「テレビのことはとりあえず置いといて」

ひろ子は安兵衛を刺激しないような言い方を考えながら話した。

「安兵衛さん、好きかどうかはともかくとしてさ、あれだけお菓子作りが上手になったんじゃない。ついこのあいだまで、ケーキなんか見たことも聞いたこともなかった人があそこまでできるなんて、大したことよ」

「そんなことはござるまい」

応答に照れがかぎとれたのを聞き逃さず、ひろ子はたたみかけた。

「いいえ、そうなの。安兵衛さん、すごいのよ。だからさ、その腕前がどれくらい通用するか、いっぺん試してみるのもいいと思うの。もしさ、小さい時からケーキを食べつけてる人たちに安兵衛さんが勝っちゃったら、それはほんとに、安兵衛さんが天才だって証拠になるじゃない」

「そういうことになるのかもしれぬが」

「それは江戸が東京に勝つってことよ。安兵衛さんに、江戸の名誉がかかってるのよ」

ふーむと安兵衛は腕組みをした。しかしその小鼻が開いているのを見て、ひろ子は作戦の成功を確信した。思った通り安兵衛は、ややもったいぶった口調で言った。

「そこまで言われれば、やらぬわけに参らぬのう」

友也がばんざいをした。ひろ子も手を叩いた。

ひろ子が友也に肩入れをする気になったのはとっさのことだった。それまではどちらかというと、安兵衛にも指摘された通り、佳恵への「またやってくれたか」という思いが強かった。けれど友也と安兵衛のやりとりを聞いているうち、彼に秘められているかもしれない力を確かめてみたい気持のほうが高まった。少なくとも、安兵衛一流の依怙地《いこじ》さで、スタート台にも立たないままになってしまうのはいけないことのように感じたのだ。ひろ子が仕事でひと皮剝《む》けたのも、佳恵に安兵衛の存在をばらされたおかげだったのだから。

改めてうながされて、友也はようやく洗面所に駆けていったが、その興奮ぶりでは寝つくまでにまだしばらく時間がかかりそうだった。

いくぶんかの幸運が手を貸してくれたのかもしれない。

6

調理学校を会場に行われた予選の場でちょっとした、いや、実は深刻だったかもしれないトラブルがあった。

当日、ひろ子もどうにか休みを確保でき、友也といっしょに応援に出かけた。「選手控え室」と張り紙のあった部屋に安兵衛といっしょに入ろうとしたら、係の若い男が友也をとめて「ここからはお父さんだけね」と言った。

「お父さんじゃないよ」

友也が真正直にそう答えたのを係は聞きとがめた。安兵衛に確かめると、それは事実で、そもそも子供がいないし結婚さえしていないという。

「『お父さん』のコンテストですからねえ」

難しい顔になった若い男は、テレビ局のディレクターらしい上役を呼んできて協議をはじめた。友也は、自分のせいで安兵衛が出場できなくなるのではと思って、泣き出しそうになった。

「父親に限るとはどこにも書いてないではござらぬか」

なるほど、出場規定には「プロもしくはプロとしての経験のある方を除く」とあるものの、子供がいなくてはならないという項目はない。書類審査でも特にチェックはしていなかったのだろう。しかし大見出しに「お父さん」がうたってあるのも事実だった。

「拙者、まことの父親にはあらねども、友也殿と一つ屋根の下に暮らし、父親のごとく――と申すか母親のごとくと申すか、いずれにせよ日々誠心をもってお世話申し上げておるのでござる」

興奮した安兵衛は、普段に輪をかけた江戸言葉で猛然と主張し、友也も「そうだよ。安兵衛さん、ほかの子のお父さんよりずっと上手に飛行機ブンブンできるし、剣道だって教えてくれるし」と必死に訴えた。ほかの出場者たちも、この珍妙なコンビがいったい何者なのか、準備の手を休めて見物にやってきた。

「分かりました。出場を認めましょう」

とうとうディレクターが言った。安兵衛と友也は顔を見合わせてほっとした表情になった。けれどそれはどうやら、安兵衛たちが彼を説得できたからではないようだった。

「馬鹿。あんなの逃がしちゃってどうすんだよ」

ひろ子はその直後、ロッカーのかげでディレクターがさっきの若い男に小言を言っているのを聞いた。

「すっごいテレビ向けキャラじゃん。あそこまでのはなかなかいないんじゃないか？」

そのことを安兵衛には言わなかったけれども、江戸言葉をひかえるよう注意するつもりだったのを、ひろ子は思いとどまったのだった。

「テレビ向け」であることが予選の結果に影響を及ぼしたかどうか分からない。しかし、でなかったとしてもやっぱり安兵衛は選ばれたはずだ。それは確信できる。

その日、いくつかの実技テストのあと、調理学校の講堂で発表があり、合格者の中に安兵衛の名を聞いて、ひろ子は友也といっしょに跳びあがって喜んだ。何しろ予選の出場者は百人近かった。家事に知らんぷりの男たちの一方で、ケーキを作る男がそれほどいることにひろ子は驚かされたものだ。応募者全体だったらいったいどれほどだったのか。ともあれ書類審査とはいえすでに選抜を受けた腕自慢が会場せましとひしめき合う中で、本選の出場枠はわずか七人だった。それなのに安兵衛本人はいたって平然としたものだった。

「当たり前でござるよ」

ことともなげに彼は言った。

「拙者の班の者しか見ておらぬが、大したことはあり申さぬ。くりーむの泡立て方がなっておらぬし、ちょこれーとも、ちゃんと光らせておった者は一人もいなかったでござる」

ひろ子はそんなことを言われてもさっぱり分からなかった。しかし安兵衛が、それなりの技術の裏付けをもって余裕しゃくしゃくの態度でいたのは理解できた。さらに「江戸と東京の勝負ではござらぬか。こんなところで負けるわけにいき申さぬ」と言うのを聞いて、ひろ子がたきつけたとはいえ、意図したものを上回る闘志を彼が抱いていることも知ったのだった。

本選は一週間後に設定されていた。課題は「お菓子のまち」。

このテーマをケーキで表現する。各選手は当日までに構想を練り、競技開始からの定められた時間内でそれを完成させる。見た目の美しさ、アイデアの斬新《ざんしん》さ、もちろんおいしさ。すべてが審査の対象である。一メートル四方という台の大きさは、プロにも相当の難物のはずだった。

安兵衛はその日からスケッチ作りにとりかかった。書き損じがたちまち段ボール箱をいっぱいにするほど考え抜いて、ようやくデザインが決まると、今度はそれぞれの部分をどういうケーキで作るか、さらにはそのケーキをどういう味つけにし、どういうふうにデコレーションするか、一つ一つ検討した。検討した結果は、ただちに実地にテストされ、納得のゆくまでレシピが手直しされた。

こうした作業を進めるあいだも、安兵衛が日常の家事にいっさい手抜きをしなかったのは言うまでもない。そのためいきおいコンテストに向けた活動は夜行われることになった。ひろ子は朝起き出して、一睡もしないままの安兵衛がまだ台所でごそごそやっているのを何度も見た。身体をこわしたら元も子もないと言ったところで、聞き入れる安兵衛ではなかった。

もう一つひろ子が気になっていたことがある。本選では、主催者側から助手を一人つけてもらえることになっていた。だがそれを安兵衛は断ってしまった。ひょっとして私にやらせるつもりなのかしらと、ちょっぴりどきどきした。ケーキなんて、中学の時のバレンタイン以来作っていない自分にできるのかなという不安と、安兵衛はやっぱり私といっしょに出たいのかもという期待とで。

不安も期待も無用だった。安兵衛が指名したのは友也だった。

「それはだめよ。いくらなんでも不利よ」

大張り切りの友也を気にしながらも、言わずにいられなかった。が、安兵衛はまったく揺らがなかった。

「大丈夫でござる。何しろ拙者がお教えしたのでござるからな」

その安兵衛に料理を手ほどきしたのは一応、ひろ子である。しかしそれを主張するだけの厚顔さは持ち合わせていなかった。友也に対して安兵衛は、「いつも通り、お手伝いしてもらえれば結構でござる」と言うだけだった。

一週間はあっというまに経った。

当日、安兵衛は、ひろ子たちと会って以来しまいっぱなしになっていた和服を着た。例のディレクターは大喜びだったはずだ。そのいでたちで、今度は友也もいっしょに、堂々と選手控え室に乗り込んでいった。

予選と同じ会場だったが、今度は選手ひとりひとりに専用の作業台とコンロ、オーブンが与えられていた。

「あ、見て見て」

平石佳恵が叫んだ。さすがに赤ん坊は実家に預けたらしいが、悠樹といっしょに応援にやってきたのだ。しかし母親の最大の目当ては安兵衛ではなかったらしい。彼女の指さすほうにいたのは、カメラクルーと打ち合わせをする司会役のお笑いタレントだった。けれどタレントを見たことで、ひろ子は、いよいよ本番なんだと緊張した。背中がぞくりとして、ああ、これが武者ぶるいってやつかと思った。出るのは安兵衛と友也なのに。自分が選手みたいな気分だった。

応援の家族らが陣取る席の前を横切って、選手たちが入ってきた。

みんな、すごくおいしいケーキを作りそうに見える。そしてそれぞれにぴたりとよりそった助手たち。これはスクールの生徒たちらしいのだが、選手と揃いのエプロンを身につけて、いかにも頼もしそうだった。

安兵衛が登場した時、応援席にどよめきが起こった。きりりとたすきをかけた姿をひろ子は素敵だと思ったけれども、この中では異質すぎた。しかも彼が連れているのは、まだ学校にもあがらない子供なのだ。

「安兵衛さーん」

佳恵が声をあげた。

「ともやー」

悠樹も友也に手を振って、負けじとひろ子は両方の名を叫んだ。応援席の目が今度は自分たちに向けられた。タレントがマイクを手に近づいた。あとからついてきたクルーのカメラがこちらを見つめている。

「六番の――木島選手の応援ですね」

今さら恥ずかしがっている場合でもない。お腹に力を入れて「はい」と答えた。

「木島選手の和服、何か特別な意味があるんでしょうか」

「特別な意味っていうか、あの人には一番着なれてるものだからだと思いますけど――」

私にも何か聞いて、と言いたげな佳恵を尻目に、タレントは安兵衛のほうへ駆け戻っていった。

「和服、よく着られるんですか」

「以前はこればかりでござった」

「毎日？」

「もちろんでござる」

どう突っ込んでいいか分からなかったのだろう、タレントはあいまいな笑みを浮かべ、友也のそばにしゃがんだ。

「ぼく、いくつ？」

「何じゃその口のききようは！」

いきなり安兵衛の雷が落ちた。

「小さくとも、友也殿は拙者が選んだ助っ人としてこの勝負の場におるのじゃ。一人前の男として遇されるのが当然と存ずるぞ」

相変わらずだねー。佳恵がつぶやいた。のっけからこれではどうなるのか、ひろ子は心配になってきた。

各選手は与えられた予算内で買いこんだそれぞれの材料を、調理台の脇に持ちこんでいた。まずは粉をボウルにあけ、バターを室温に戻す。安兵衛のチームでは、友也が次々に卵を割っていた。

「ともや、うまーい」

悠樹が感心する声を聞いてひろ子はやっと少しだけ落ち着いた。そうだ、彼らを信じなくちゃ。

「各選手、いっせいに生地作りに入りました。さすが決勝まで残ったつわもの揃い、あざやかな手つきであります」

アナウンサーの実況もはじまった。特に目を引いたのは、アメフトの選手といっても通用しそうながっちりした体格の二番と、もう一人、片耳にピアスをぶら下げた五番だった。二番のほうは豪快に生地をこね、五番は神経質そうに粉を少しずつふるってはボウルをかき回していたが、明らかにほかの選手より動作が練れていた。本当はプロなんじゃないかと疑いたくなったほどだった。

「二番と五番が相手ね」

ひろ子はひとり言のようにつぶやいた。

しかしなかなか、安兵衛もその二人に負けてはいない。本格的にはじめて数ケ月とはとても思えない堂々たる仕事ぶりだった。

「おっとこれは六番、土台になるスポンジは卵白と卵黄を分けないジェノワーズで行くもようであります。これは別々に卵を泡立てるよりしっとりした生地になると言われておりますが、泡立ちが悪いため、質の高いスポンジを作るには高度の技術を要する方法。しかし果敢に取り組みます」

表情がいい。竹刀を握っている時と同じ、集中しきってにごりのない目。その目は石ころみたいな顔と妙にマッチして、一瞬、彼がすごく男前になったような気にさえさせた。

「選手たち、つぎつぎに必要な生地を作ってゆきます。これだけ大きいと量も半端ではない。建築で言えば今が基礎工事とでも申せましょうか。地味な作業ではあります。しかしここを怠っては壮麗な建築は決して完成しないのであります」

観戦している者には、時間は非常にゆっくりと過ぎてゆくようだった。選手たちはいっときも休まず動き回っているのだが、彼らがいったいどんな「まち」を作ろうとしているのか、いっこうに見えてこない。応援席でも、退屈して席を立ったり、そのまま居眠りしたりする姿が目立ちはじめた。平石母子は言うまでもなくこのクチだ。

けれどひろ子は身じろぎひとつしなかった。選手たちの息詰まるような戦いの熱が、じんじん伝わってきた。ひろ子の知識ではひとつひとつの作業の中身はもうほとんど理解できなくなっている。それでも、目が離せなかった。引きこまれた。安兵衛、友也といっしょに、競技に参加している自分を感じた。

それぞれの作品の形がぼんやりと見えてきたのは、競技がはじまって三時間もたったころだった。

「二番、さきほどから大量のロールケーキを黙々と作っております。それもチョコレートクリームを塗ったものばかり。おっと土台の上に立て始めたぞ、立てながら、ケーキの表面に筋目をつけてゆきます。あ、これは木だ。木のようであります。それが十本余りも――二番がお菓子のまちづくりの舞台に選んだのは、森だった」

大木の幹の感じを巧みに表現したロールケーキの上には、かわいらしい小屋が載せられた。森の妖精《ようせい》たちが棲《す》む家ということなのだろう。やはりチョコレートを使ったものが多いのだが、遠くから見ても香りが漂ってくるように錯覚するくらい瑞々《みずみず》しい艶を出していた。予選の時安兵衛が言っていた、チョコを光らせるとはこのことかと、納得した。

前もって準備していたはずだから、森に対抗してというわけではなかったのだろうが、五番は海の中の風景だった。

「こちらは実に多様な素材使いであります。砂底はシブースト地、コンフィされたフルーツの貝殻が散らされているぞ、一方岩場はナッツケーキの組み合わせ。そして場所が違えば棲む魚も違います、数え上げるのも容易ではありません。あでやかなタイ、可憐《かれん》なエンゼルフィッシュ、ぷっとふくれておどけるハリセンボン。その棘《とげ》は、さきほどシガレット型に整えていたクーベルチュールだ」

中でも白眉《はくび》は、真ん中の岩場のてっぺんに鎮座するロブスターだった。足の一本一本、身体より長いひげまでリアルに複雑な形を再現していて、作り手のテクニックを見せつけるのに十分だった。

そして安兵衛だ。

おとぎの国の舞台に安兵衛が選んだのは、もちろん江戸の町並みだった。一方には江戸城がそびえたつ。

「六番の木島選手、焼き上げたマーブル模様のクッキーをどうするのか。あ、これは石垣です。見事な、どんな忍者も侵入できそうにはない石垣が着々と築き上げられてゆく。輝く白壁には、やはりクレームシャンティーであります。フランスはシャンティー城の白い外壁が名の由来になった生クリーム。日本の誇る江戸城にもそれが塗られるのは、鎖国の江戸の、意外な開放性を表すものなのでしょうか？　屋根にはココアケーキの瓦《かわら》を張りつける模様だ。しかし」

ここでアナウンサーは目を見張った。

「この城の主、征夷大将軍《せいいたいしょうぐん》のいる場所は天守閣ではない。城の中ですらない。将軍はお堀さえ越えて――」

会場には観客席からも見えるように大きなモニターが設置されていた。そこに映し出されたのは城を取りまいて広がっている町人町だった。そこにマジパンの上様がいる。恰好は一応、平旗本の装束だが、色粉で青くした生地に金箔《きんぱく》をまぶした派手な羽織を見れば、分かる人にはすぐ分かる。「まっぴら将軍」なのである。よく見れば、その顔もどことなく松平平次に似ているような。

上様は長屋の井戸端で、やはりマジパンの子供たちと遊んでいる。両方の袖《そで》に一人ずつぶらさげて、ぶんぶん回してやっている。子供たちは足をばたつかせて喜んでいる。その子供の一方は大五郎カットの江戸童だが、もう一方は半ズボンをはいた現代の子供である。まわりにいる子供たちも二つの時代がまざりあっていて、いっしょにコマを回しているかと思えば、並んでゲームの画面を見つめていたりする。

このアイデアを出したのは実は友也だった。アイデアを出したというのはおおげさだが、安兵衛のスケッチを見て「オレもその中に入れてよ」と言ったのがきっかけになったのは本当だ。安兵衛は少し考えたあとで「それもよいかもしれぬな」とつぶやき、子供の数ももとのプランより大幅に増やした。

安兵衛と友也の作品は、少しずつ、しかし確実に出来上がっていった。安兵衛のお菓子にはいつも感心させられていたけれど、こんなすごいことまでできるようになっていたなんて。ひろ子は目がうるみそうになった。友也の活躍ぶりもまた、すばらしかった。もちろん大人みたいにてきぱきとはいかないけれども、安兵衛の指示を間違いなく丁寧にこなして、ほかの助手たちに決して負けていなかった。

だが時間が進むにつれ、競技は六歳の子供に過酷なものになってきた。

選手たちに与えられた制限時間は五時間。課題のためにはぎりぎりだとしても、立ちっぱなしで作業し続ける時間としては決して短くない。現に選手たちの中にも、しきりに汗を拭《ぬぐ》ったり、くたびれた表情で屈伸運動をはじめたり、はなはだしいのは壁にもたれてぐったりしたりといったさまがひんぱんに見られるようになっていた。友也の疲れかたは大人の比ではなかったはずだ。顔色が悪くなっているのがはっきり分かったし、大きなボウルを運んでいてふらついたことも一度や二度ではなかった。さすがの安兵衛も「友也殿。しばし休まれぃ」と、スツールを係員に頼んで持ってきてもらった。それなのに友也は、師匠にまさるとも劣らない強情を発揮して、決して座ろうとしなかった。

　はらはらしてひろ子はその様子を見守った。席に戻ってきた佳恵と悠樹も、鬼気迫る二人の形相に圧倒されたようで、ラストスパートに入った選手たちの動きを面白おかしく実況するアナウンサーのおしゃべりも耳に入らないみたいに目を離さなかった。

　残り時間が三十分を切った。安兵衛は極細の絞り金を使ってチョコで子供たちの顔を描き込み、並べる作業に追われていた。友也も、シロップ漬けチェリーの口をつける役をやらせてもらっている。お菓子の森はすでにほとんど完成して、二番の選手は余裕の表情で細かな部分の点検と手直しにとりかかっていた。五番の仕上げは、プロでも滅多に見られないような飴《あめ》細工だった。あつあつのキャラメルに突っ込んだ箸を、ひらひら作品の上で動かすと、垂れてきた糸がからまりながら固まって、金色のレースが全体にふんわり覆い被さった。テレビカメラのライトに照らされたそれは、まさに竜宮の乙姫が身にまとうにふさわしい美しさで、応援席から思わずため息がもれた。

「終了！」

時計をにらんでいたタレントが叫んだ。気がつくとひろ子は、両手を痛くなるほど打ち合わせていた。止めようと思っても止められなかった。安兵衛はゆっくりたすきをはずして、それから友也の頭に手を置いた。友也はそのまま床にぺたんと座り込んでしまった。友也を抱え上げた安兵衛と、まだ手を叩き続けていたひろ子の視線がその時ぶつかった。安兵衛はにやりと笑い、小さくうなずいた。

すぐにそばに行ってやりたかった。しかしすぐさま審査が始まり、選手たちも立ち会わなければならなかった。審査は、調理場に隣り合ったホールで、専門家と一般モニター計五十人によって行われる。そして応援の家族らは、公平を期す上で当然ながら、その審査には参加できないのだった。

「ほんと、すごかったねー」

ようやく魂を取り戻したみたいに平石佳恵がつぶやいた。

「ともやもかっこよかったよ」

「ありがとう」

ひろ子は悠樹にそう答えた。自然に出てきた言葉だった。そして、ホールに行こうと二人にうながした。審査には参加できないが、その様子を見ることはできる。試食も、ちょっぴりケーキを回してもらえることになっていた。

七つの作品のまわりに人垣ができていた。しかしやはりすぐれたものが発するオーラは、多くの人に共通に感じられるらしく、二番、五番、そして「時をこえて」と題された安兵衛のそれの前で、審査員はより長く足を止め、熱心に検分していた。やがて試食がはじまった。安兵衛自身が江戸城や長屋にナイフを入れるのをひろ子はいたたまれない思いで眺めた。完成した姿をちゃんと記録してるわよねと、カメラマンに念を押したい気分だった。しかし安兵衛は、普段から想像できないほど愛想よく、満面の笑みをたたえて切り分けたケーキを配っていた。お菓子なんて食べてなんぼ、それが彼の考えなのだ。

テレビ局の人が、ひろ子たちの分を持ってきてくれた。跳びあがるほどおいしかった、と思う。正直、興奮のせいでよく分からなかった。ただ、審査員たちが味にも満足していることは、彼らの表情やコメントで伝わった。

絶対優勝する。何が何でも。

贔屓目《ひいきめ》だろうか。いや、断じて。もはや優勝以外はひろ子が受け入れられなかった。ただ勝負は時の運でもある。二番、五番。わけても五番の華麗な技は、審査員たちに強く訴えただろう。そう考えると、にわかに不安にもなってきた。

七つの「お菓子のまち」がきれいに審査員たちの胃袋に消えてなくなり、それらを載せていたワゴンもホールから運び出された。投票箱の前にできた列をひろ子はもどかしく見つめた。せめて彼らに、安兵衛のこれまでの努力を説明したかった。しかし、勝負はただ作り上げたものの出来映えによって決められるのだ。また、安兵衛もそれを望んでいるに違いなかった。

投票箱が運び出され、代わりにクス玉をつるしたやぐらが担ぎ込まれてきた。その前に、選手たちが番号順に並んだ。安兵衛はと見ると、さすがに緊張しているのか、口を真一文字に結び、まっすぐ前を睨《にら》んだまま固まっていた。ひろ子の姿にも気づいていないようだ。その後ろでは、友也がやはり、こちこちになって立っていた。

「よろしいですか」

タレントがたっぷり間合いをとったしゃべりでひっぱる。ひろ子の胸の動悸《どうき》はいっぺんに倍ほどの速さになった。

「それでは発表します！　優勝は――」

両手を合わせ、目をつむった。歓声と拍手がわいた。そのせいで司会者が何といったのかひろ子は聞き取ることができなかった。こわごわ目をあけた。クス玉から垂れ幕が下がっていた。

おめでとう　木島安兵衛さん

もう涙をこらえることはできなかった。それを拭くことも、拍手することも忘れて、ただひろ子は審査委員長からトロフィーを手渡される安兵衛と友也の姿を追っていた。

「木島安兵衛さん。あなたにとって、お菓子作りとは何ですか」

「おなごのわざにたまたま手を染めておるだけでござる。語るほどのことなどあり申さぬよ」

最後まで振りまわされっぱなしだった司会のタレントを尻目に、安兵衛は友也を肩に担ぎ上げ、いっしょに拍手に応《こた》えた。そこでやっと友也がひろ子に気づいたようだった。友也は身体を曲げて安兵衛の耳に何かささやいた。安兵衛も苦笑いしながら言葉を返していた。

あとで二人に尋ねてそのやりとりが分かった。

「ママは泣いてもいいのって言ったの。女の人は仕方ないなんてずるいよ」

「まったく、泣いていただくほどのことではなかったでござるよ。拙者、はじめから勝つのは分かっており申した。はっはっは」

　どう考えてもあの時はそんな心境ではなかっただろうと思うのだが、得意満面に安兵衛は言った。


　十日ほどたってこのコンテストの模様がオンエアされたが、反響は想像もできなかったものだった。番組が終わると同時に、佳恵以外の保育園の母親仲間やらマンションの知り合いやら、安兵衛と面識のある人からひっきりなしに電話がかかってきた。

「感動したわ！」

「ケーキ、作ってもらえない？」

「素晴らしい人だな、遊佐君」

　イートンの同僚のものもいくつかあった。例の競技開始前のやりとりで、ひろ子もちょっぴり映っていたせいだ。友也はもちろん出ずっぱりだ。のんきなことにそれまでまったく意識していなかったのだが、東京だけのオンエアでよかったと、胸を撫でおろした。

　けれどそれだけではすまなかったのである。翌日には、東日テレビのディレクターが夜、局の人間をもう一人連れてマンションを訪ねてきた。彼らはまず「優勝のお祝い」という手土産をうやうやしく差し出した。友也は別に、東日テレビでやっているアニメキャラクターのゲームをもらい、それがちょうど前から欲しがっていたものだったので、「うっそー」と叫んではねまわった。

「うちの局にも、木島さんのケーキをどうかして食べられないかと問い合わせが殺到しておりまして」

ディレクターが言った。ひろ子と安兵衛は顔を見合わせた。

「でも、ご近所くらいならともかく、そんな大勢の方にはとても——」

「いくら拙者でも無理でござる。そういつも菓子ばかり作っておるわけに参らぬし」

「分かります、分かります」

慌ててディレクターは手を振った。

「しかし、これだけ視聴者の声が寄せられている以上、何とかそれに応えるのも私共の責務でございまして。で、取り敢えずということで考えさせていただいたのですが」

そこでもう一人が口を開いた。ディレクターよりひとまわりくらい年上で、ジーンズ姿のディレクターとは対照的にきちんとスーツを着ていた。

「私共の昼のワイドショーで。あ、私、そちらのプロデューサーをしております。その中にコーナーを設けましてですね、木島さんにご出演いただけないかと。ケーキ作りだけでなく、その、いろいろなお話もですね、お聞かせいただけないかと。何しろそのですね、ケーキもさることながら、このあいだの番組中の木島さんのご発言も、大変にその、共感された方が多かったと申しますか、その、ウケたわけでございまして――」

ひろ子はとまどった。安兵衛本人もきっぱり断った。

「今も申したように、拙者、これでも結構忙しいのでござる。事情あってひろ子殿に養われておる身、その代わりに家事はひととおり引きうけてござるゆえ」

「そのようなことでしたら問題ありませんよ。当方で家政婦なりベビーシッターなり、ご用意させていただきます。もちろんギャラのほうも、その、恥ずかしくない額をご提示できると思います。失礼ながら、養われる、というふうな状態はその、解消されるのではないかと」

「ありがたくのうもござらぬが、ほかにもやらねばならぬことがあり申す。どうかご容赦くだされ」

「いったいどんなことですか」

「それはちょっと申しにくうござるが――」

「ぜひおっしゃってください。その、お力になれることがあるかもしれませんし。いや、お力になりたいんです。それでなんとか、私の番組のほうの話、ご承諾いただけませんでしょうか。これでも私、三十年この世界で飯を食っております。私の勘が、先生は必ずテレビで、その、大成功されると言っておるのです。どうかお願いします」

それこそ土下座せんばかりにプロデューサー氏も、ディレクターも頭を下げた。安兵衛はその姿に心打たれるところがあったのかもしれない。

「お明かしいたすゆえ、面《おもて》をあげられよ」

ひろ子は急いで目配せした。けれどもう安兵衛の口は止まらなかった。

「拙者、実は江戸は文政の世からまいったのでござる」

プロデューサー氏はゆっくり顔をあげて「ほう」と言った。

「泉のような井戸のようなものに落ち、気がつけばこの東京におり申した。思えばあれが離れた時と時をつなぐ通い路だったのでござろう。どうすれば帰れるかと日々奔走しておるのでござるが、今のところさっぱり。何か心当たりがおありではござらぬか」

「なるほど、江戸から来られたと。で、お戻りになりたいと――」

ひろ子はプロデューサー氏が怒るか、呆《あき》れるかして席を立つだろうと思った。しかし彼は驚いたことに、深く同情するような口調で続けた。

「それは、その、確かに容易なことではないかもしれません。しかし、我々におまかせください」

「まかせるってどういう——」

思わず口をはさんだひろ子にも、彼は丁寧に応じた。

「今すぐに妙案があるわけではありませんが、その、うちもマスコミのはしくれです。それなりの調査能力を持っております。フル動員して、その、出来る限りのことをいたします。ですからご出演のほうをなにとぞ」

「分かり申した」

安兵衛は言った。

「お引き受けいたそう。そういうことであれば、お断りし続けるわけにまいるまい」

「安兵衛さん」

だがプロデューサー氏は、満面の笑みをたたえて安兵衛と握手を交わし、それ以上ひろ子に口をはさむ隙を与えなかった。ひろ子のほうでも、実家に知られるとまずいなんて話を今さらするわけにもいかず、思いもしなかった事態の進展を、落ち着かない気持で見守るしかなくなってしまったのだった。

7

あっと言う間に安兵衛はテレビの中にその地位を確立した。プロデューサー氏の三十年の経験とやらは、少なくともその点においてはダテでなかった。

東日テレビのワイドショーで、最初レギュラーのコメンテーターたちは、今度は何者が出てきたかとお手並み拝見顔だった。確かに安兵衛はひどい恰好だった。少なくともひろ子にはそう思えた。有名デザイナーの手になるというふれこみだったが、クリーム地にいちご模様を散らした着物に、チョコと抹茶というわけか、その二色縞《じま》の袴ではあまりに安直だった。大小がイミテーションなのもいかにも安っぽく、およそ威厳や品位からはほど遠い姿をさせられていたのだ。

しかしコメンテーターたちの表情は、安兵衛のケーキを口にして一変した。さらに安兵衛はトークでも、当たり障りのないだけがとりえの彼らのお株を完全にうばった。

もう映画や舞台にはほとんど声がかからなくなっているが、その世界では「大物」の一人に数えられる女優が「世の中の男性がみんなあなたみたいだったらいいわねえ」と声をかけたのに、彼はにこりともせず答えた。

「男がけーきを焼く必要などござらぬ。そんなことをしていったいどうなるのでござるか」

反論されるのにまったく慣れていない彼女は、目を白黒させた。

「どうなるって、そりゃあなた、家庭がずいぶんなごやかになるんじゃないかと——」

「とんでもござらぬ。けーき作りなどにうつつを抜かして、仕事がおろそかになっては如何《いかが》いたす。はなはだしきは職を失い、一家を路頭に迷わせることになりかねぬ。食うに困ってなごやかでいられると思われるか」

「そうかもしれないけど——あなた、こんなにおいしいケーキをお作りになるんじゃない。それはやっぱり素晴らしいことじゃありませんこと？」

女優は何とか言い返してプライドを保とうとした。だがそれは安兵衛の容赦ない舌《ぜっ》鋒《ぽう》をいっそう鋭くする結果を招いただけだった。

「けーきなど、誰にでも作れるのでござる」

「僕には作れませんよ」

笑いながら言った初老の脚本家を安兵衛はじろりと睨みつけた。

「今も申したでござろう。必要がないからでござる。必要があるのにできないのは、やる気がないからでござる。拙者、平成の世のおなごには、その弊がしばしば見受けられるように存ずる」

「どういう意味で言ってらっしゃるのかしら？」

これには女性弁護士がかみついた。

「手作りおやつ信仰が、母親のストレスの原因になっていることを示す調査結果があるんです。確かにあなたのケーキはおいしいけど、女性の負担軽減という観点からは今のご発言、容認できません」

「時代の移り変わりらしいゆえ、拙者も、おなごが働きに出ることは百歩譲って容認いたす。なれど、そうでないおなごが、家事に心をもっぱらにせず、あれもしたいこれもしたいと、夢みたいなことばかり考えてえねるぎーを浪費しておるらしいのは看過できぬ。人には分というものがござる。分をわきまえて生きるのを、まことの人の道と申す」

まあ、と真っ赤になって、しかし言葉を失った弁護士を尻目に安兵衛はさらに教育論にまで踏みこんでいった。

「子供の横暴は、親が手伝いをさせぬことに一つの理由があると存ずる。きちんと教えれば、子供にも手伝わせられることはたくさんあり申す。それをしないのは、えねるぎーを惜しむからでござる。えねるぎーを注げば、子はおのずから親の言葉を理解いたす。子育ては家事のうちにても大業でござる。片手間にては決してまっとうでき申さぬ。その覚悟が肝心なのでござる」

安兵衛はとうとうと述べたて、番組ではコーナーを大幅延長しなければならなかったくらいだった。

ひろ子にとっては普段から聞かされ続けている安兵衛節である。しかし当時自分が受けたインパクトを思い出せば、なるほど初めて聞く人には強烈だろうなと思った。荒唐無稽《こうとうむけい》のようだけれども、ひろ子がそうだったように、それは現代人が失ったものをくっきりと浮かび上がらせる力を持っていた。そんな言葉を誰にもものおじせず吐く、どう見てもアナクロっぽい男が、子供の世話と家事を見事にこなし、その手になるケーキは口にする者を夢見心地にさそう出来映えなのだ。この取り合わせは、確かにウケる要素にあふれていた。

すぐ他局からも出演依頼がきた。

「ひとつに出て他所《よそ》に出ないのは不公平と言われるとのう」

そういう攻められ方をするとまったく弱い彼は、結局全部引き受けてしまった。合間には、雑誌やら新聞やらが次々と取材に来た。その一つが、東日テレビとタイアップして本を出すことになった。ワイドショーで紹介したケーキのレシピと、安兵衛語録を組み合わせたもので、「木島安兵衛の『人生はケーキほど甘くないでござる』」というタイトルがつけられた。

本の発売日、ひろ子は池袋であったサイン会の様子をのぞいてみた。その日だけで彼は計五ケ所ほどでサイン会をした。その本屋にも相当な行列ができていて、安兵衛の姿を見るのに、大汗をかいて人ごみをかきわけなければならなかった。驚いたことには、テレビでの安兵衛と同じ恰好をしている人がちょくちょくいた。後で聞いたのだが、コスプレグッズとして大変な人気で、生産が追いつかないほどなのだそうだった。

並んでいる人の中には女性、それも若い女の子が目立った。まあケーキ作りの本だから自然なのかもしれないが、ひろ子はちょっと虚をつかれた。女性蔑視《べっし》と非難されかねない発言は、女性の支持を集めるのにほとんど障害にならないようだ。

「安兵衛さん、もてるんだね」

連れてきた友也が感心したように言った。あたりを見まわすと、サインの順番を待つ女の子たちが、安兵衛のいるあたりに目をこらして、何か彼女たちの気に入るような仕草でもあったのだろうか、きゃあきゃあ喜んでいた。「かわいー」なんて声も聞こえた。あの顔にどうしてそんな反応ができるのよ、と反発を覚えると同時に、安兵衛の可愛さを先に見つけていたのは私なのよ、と言ってやりたい気もした。

まさに安兵衛はアイドルだった。少なくとも、人気タレントであることは間違いなかった。スケジュール帳は真っ黒で、どうにもならずマネージャーを雇った。忙しさはまったく常軌を逸していた。朝から生放送が入っていたりすると、早朝の四時頃にハイヤーが迎えに来て、深夜まで分刻みで飛びまわる。彼をテレビで見ない日はない。ワイドショー、トーク番組から、バラエティーもぐんと増えた。本はさらに二冊、出版された。食品メーカーが出資して「YASUBE'S」なる店を渋谷に開くことになった。そのための新作ケーキを考えねばならず、といって昼間はとても時間がとれないので、安兵衛は東日テレビに隣り合った六本木ヒルズに部屋を借り、週の半分は泊まり込むようになった。

ケーキ作りコンテストのオンエアからひと月余り。優勝の時から夢を見ているようだったが、だんだんひろ子は怖くなってきた。魔法の森をさまよっているみたいだった。奥に進むほど美しい花が咲き乱れているが、どこまで行っても果てがない。

ずっとこれが続くのだろうか。突然崖から落とされたり化け物に襲われたりすることはないのか。

安兵衛本人はいったいどう思っているのだろう。

ひろ子はそれを知りたかった。知ろうと努めた。しかしそれは物理的に容易でなかった。ゆっくり話す時間がないのだ。

顔を合わすことさえもう稀《まれ》だった。ひろ子にもこれまで通りの勤めがある。安兵衛がマンションに戻ってくる日でも、帰りを待っていたり、出かける前に起きたりしていたら、自分の身体が持たない。二十五歳とはいえ、今のペースで動き続けられるのは、足腰を日頃から自然に鍛えている江戸時代人ならではなのかもしれないと、改めて感心させられたものだ。

ともかくそんなふうなので、推測するしかない。はじめのうち安兵衛が、自分から進んでタレント活動に身を投じていったのでないことは確かだと思われた。ワイドショーへの出演を辞退しようとしていたのは目のあたりにしているし、それからしばらくも、行きがかり上仕方なく、という感じが強かった。安兵衛のことだから、引き受けた以上、決して仕事の手は抜かないが、「求めがあるので引き受ける」姿勢ははっきりしていた。

けれど最近は様子が変わってきた気がするのだ。他人の思惑に乗せられて動いているのは同じでも、どことなく、安兵衛自身の意思が加わってきたように見える。たまに会う時の彼は、実に生き生きした表情をしている。

明らかに前と違うところがあった。ついこのあいだまで安兵衛は、ひろ子を見ると決まってつぶやいたものだった。

「やはりなかなか見つからぬのかのう」

しかしここしばらく、そのつぶやきを聞いていない。

テレビ局に探す気がなかったのは、分かりきった話だった。彼らはそもそも約束をしたつもりもなかったろう。安兵衛の懸命の告白を、ウケ狙いで言っているのだと考えていたに違いない。そうでないとしたら、安兵衛は公共の電波に乗せるのに不適当な人物ということになってしまう。いずれにしても、その件は、進展していないだけでなく、進展させるための努力すら払われなくなってしまった。安兵衛も気づいていないはずはない。それなのに、テレビ局に抗議する様子もない。

勘違いなのかもしれない。ひろ子の思いこみかもしれない。けれど、本当に彼の内面に変化があったのだとしたら。

複雑な心境だった。

自分の胸のどこかに、安兵衛がこのまま現代に残ってくれるのを願う気持がある。

その意味で、安兵衛がその気になったのだとしたら、ひろ子には歓迎すべきことなのかもしれない。けれど、今の状況は自分の願いとは関係のないところで進んでいる。いや、かけはなれている。

当然のことながら、安兵衛に友也の面倒を見るゆとりはなかった。

こちらについては、テレビ局は約束をきちんと守った。もしそうでなかったとしても、大した問題ではなかった。安兵衛は今や、シッターと家政婦を十人ずつ雇っても痛くも痒くもないほどのお金を稼いでいた。テレビ局がよこしてきたのは、人数こそそれぞれ一人だったが、シッターのほうは、お受験の実績でカリスマ的存在だという見るからに上品な婦人で、家政婦も、どこやらの皇族のところで働いていたという経歴の持ち主だった。料理教室を開いたこともあるそうで、食事だって客観的に評価するなら安兵衛のそれに十分渡り合える腕の持ち主だった。

けれど友也はこの二人になじまなかった。友也君は本が嫌いなんですね、とシッターがひろ子に言った。いいえ、そんなことないはずよと答えると、彼女は嘘つきと言わんばかりだった。彼女の報告では、本を読み聞かせようとすると、友也はいつもぷんと横を向いてトイレに隠れてしまうという。家政婦も訴えた。掃除したあとを、わざと土足で歩き回る。ものを投げる。ご飯はほとんど食べずにジュースばかり欲しがる。

ひろ子としては二人に頭を下げるしかなかった。もちろん友也の気持は痛いほど分かった。

「安兵衛さん、忙しいのよ。友ちゃんだって分かるでしょ」

ひろ子にも、友也は返事をしなかった。

「シッターさんや家政婦さんに意地悪してるの、恥ずかしいよ」

立ちあがって逃げようとするのを捕まえて、まっすぐ向き合わさせた。

「安兵衛さんが聞いたら絶対怒るよ」

「怒られてもいい」

やっと友也は蚊の鳴くような声で言った。

「ケーキコンテストに出てほしいなんて、言わなきゃよかったよ。オレ、ほんと失敗したよ」

その目に大粒の涙があふれて、あとからあとから頰を伝った。それでも彼は「泣いたこと、やすべえさんに言わないでね」と付け加えた。

ひろ子は決断した。

安兵衛にストップをかけなければならない。何よりもまず友也のために。

そして、それはひろ子のためでもあった。実はとうとう、安兵衛といっしょに暮らしていることが親にばれてしまった。安兵衛の露出度を考えれば、これまで伏せておけたのが奇跡みたいだったが、コンテストの時の映像が全国ネットのトーク番組で引用されて運が尽きた。

「いとこだなんていい加減なこと言って。こっちの体面も考えなさい」

しかし電話の向こうの母親の声は、言葉つきこそ怒っているけれども、とげとげしくはなかった。

「そういう人がいるならいると、早く教えてくれないと」

そういう人かどうか、ひろ子にもよく分からないのが悩みなのだった。といって、詳しく説明するにはあまりにややこしく、テレビ局と同じ反応を示されて終わってしまうおそれが大きい。

「確かに変わってるけど、悪い人じゃなさそうじゃない。いや、まさかこんなこととは思わなかったけど、なかなかいいこと言うなあって、お父さんともテレビで見ててよく話してたのよ」

はぐらかして電話を切ったものの、これ以上このままにしておけない気持は決定的になった。簡単にどうと結論づけられるとは思えないが、ともかく、事態を動かさなければ、ぐちゃぐちゃの度合いが増してゆくだけだ。

何がなんでも今日は安兵衛と話し合いをする。会社から、まずメールを送った。けれども夕方まで返事はなかった。電話すると留守電だった。仕方なく、マネージャーのほうにかけてみた。

「今晩は向こうの予定なんです」

そっけない声が返ってきた。向こうとは、六本木のことである。

「それならそっちにお邪魔するわ」

「かなり遅くなりますよ。それにショップのほうのスタッフが泊まり込みで来てますけど」

ほかの人がいては話ができない。そのあとで安兵衛を借りると言うと、マネージャーは露骨に渋った。彼女の職責上仕方ないことだったが、ひろ子は押しきった。

自分の仕事を終え、ひろ子はいったん家に帰った。安兵衛のことばかり言えない。十時近かったが、友也はまだ起きていた。シッターが寝かしつけようとしても言うことを聞かないのだ。ひろ子は交代して、安兵衛が来る前そうだったように、いっしょの布団に入って身体をとんとん叩いてやった。安兵衛に会いに行くことを告げようかと思ったがやめた。友也はついてきたがるに決まっていたし、話がどんなふうになるか見当がつかなかった。

むくれ顔のまま、友也がようやく眠りに落ちた。ひろ子は身繕いをし直し、シッターにあとを頼んでもう一度出かけた。シッターの深夜料金はばか高い。それをまったく気にしないでいいことと、気持のみじめさがアンバランスだった。

六本木ヒルズは、ショップをのぞいたことは何度かあったけれども、住居棟に足を踏み入れるのはもちろんはじめてだった。このところ東京地検特捜部のお縄にかかった人が何人か出たが、それもセレブの一つの証しだろう。ここに住んでいる顔ぶれを思うと、こんな場合だというのにいささか興奮した。安兵衛がそこに交じっていることに改めて驚かされたが、考えてみれば不思議でも何でもないのだ。今の安兵衛は、錚々《そうそう》たるヒルズ族に交わって、一歩もひけをとらない有名人だった。

完全にホテル並みのエントランスで、ガードマンの視線を浴びながらオートロックの部屋番号を押した。出たのはマネージャーが言っていた通り、YASUBE'Sのスタッフだった。ゆっくりめに着いたつもりだったが、安兵衛はまだ戻っていなかった。部屋はロックを解除してもらって中に入り、内側が鏡張りのエレベーターに乗った。部屋は予想通り、ブランド家具のオンパレードだった。キッチンでは若いスタッフが数人、店のロゴをプリントしたエプロンをつけて忙しそうに立ち働いていた。ひろ子が入っていっても、彼らは黙って会釈しただけで、手を休めることはなかった。ひろ子は彼らから離れ、リビングの、ベッドと間違えるほど大きなソファの端っこに身を小さくして座った。雑誌を持ってきてよかったと思ったが、取り出したそれを結局読む気になれず、丸めて握ったままぼんやりしていたので、表紙がくしゃくしゃになってしまった。

安兵衛が戻ったのは十二時を回ってからだった。大きな黒カバンを抱えたマネージャーも一緒だった。

「お、ひろ子殿」

今は普段着、といってもカシミアらしいセーターに身を包んだ安兵衛は軽く手を挙げ、にこやかな笑みをつくって言った。しかしマネージャーのほうは、まだ待ってたのと言わんばかりの表情になった。

「むさくるしいところにようこそいらっしゃった。ちょっとインタビューが押してしもうてな」

「先生。ここの厨房《ちゅうぼう》、業務用にリフォームするっていうのはいつになるんでしたっけ――」

今度はスタッフの一人がわきから話しかけてきた。安兵衛はじろりとにらんで「何じゃ、あとにできぬのか」と叱《しか》った。

「そもそもこちら、拙者の大恩人というべきお方でござるぞ。お茶も出さずに、失礼ではござらぬか」

飛びあがってさがった若者が、お茶を淹れてひろ子のところに持ってきた。マネージャーも仕方ないと諦めたのか、「じゃあ、くれぐれも明日に差し支えないようにして下さいね」とひろ子に当てつけるように言い残して帰って行った。

「今、ぱっぱっぱっと片付けるでござるから」

言うや安兵衛は、キッチンに入って若者たちにあれこれ指図しはじめた。彼はもっぱら口を動かしていた。ケーキやさまざまなお菓子も、スタッフが作ったものを少しずつ試食し注文をつけるだけで、彼自身が粉ふるいやミキサーやへらを手にすることはなかった。ぱっぱっぱっと、と言った通り、彼は二十分ほどでひろ子のそばに戻ってきた。

「もういいの？」

「ああ、あとは拙者抜きでもなんとかなり申す。話があるとおうかがいいたしたが？表へ参ろう。拙者、小腹も空いてまいった。近くになかなか旨い店がござる」

「私は食べるものはいいけど――」

「ならば酒を飲まれればよい。そちらもいろいろあるようでござるぞ」

ひろ子は苦笑した。が、どのみちそういうところに行くしかないようだ。場所柄きっと洒落《しゃれ》た店だろう。

その時間でも人通りの絶えない道を五、六分歩き、その間にも安兵衛は何人かに「見て」「あれ、安兵衛じゃない?」とささやかれた。「女のほう、誰だろ」などという声も聞こえた。たどり着いたその店は、実際、洒落すぎるほど洒落た小料理屋で、店員は、安兵衛の顔を見るとうやうやしく挨拶《あいさつ》をして奥まった個室に案内した。運ばれてきた突き出しも、非常に凝っていた。安兵衛は名物だというういくら丼とウーロン茶を注文し、ひろ子はビールを頼んだ。飲み物が運ばれてきて、安兵衛はグラスを差し上げた。ひろ子は一瞬何のことか分からずとまどった。

「乾杯でござるよ」

「何に?」

「何でもようござる。こういう時は乾杯するものでござる」

ひろ子も仕方なくグラスを合わせた。

「こんなふうに安兵衛さんと差し向かうの、ほんとうにしばらくぶりね」

「言われてみればそうでござるな」

突然、まっぴら将軍のテーマが響き、安兵衛は懐から携帯を取り出した。

「もしもしでござる」

仕事関係らしいその電話を、安兵衛は短い返事をして切った。しまう時、ちらっと見えた待ち受け画面もやっぱり松平平次のアップだった。

その時安兵衛ははたと思い出したように手を叩いた。

「そうじゃ、今日は素晴らしいニュースがあったのでござる。これをひろ子殿にお伝えせねばと思っておったのじゃ」

「何?」

「松平様にお目通りいただけることになったのじゃ」

「松平様?」

「もともとひろ子殿が教えてくださったのではござらぬか。ほれ、まっぴら将軍の松平様じゃ。雑誌が対談に呼んでくれての。もったいない話でござったが、ありがたくお受けすることにいたした」

まっぴら将軍の役者が、徳川家ゆかりの松平という名だと知って、安兵衛の傾倒ぶりはファンの域を超えてしまった。芸名だとは、ひろ子もいまだ言い出せないでいる。

「そう、良かったじゃない」

ひろ子は唇の端を持ち上げてみせた。精一杯のサービスのつもりだった。安兵衛はさらにしゃべり続けた。

「何をお話しすればよいでござろうかの」

「安兵衛さんの好きなことでいいんじゃない」

「献上の品でも悩んでおるのじゃ。どういうものを喜ばれるのであろう」

「そんなのいいわよ。本当の上様じゃないんだから」

「分かっており申すが、それではやはり拙者の気がすまぬ」

「じゃあそれも、自分の好きなものでいいわ。ケーキを焼いて持っていけば？」

「お口に合うじゃろうかのう」

ひろ子が黙り込んだのに気づいて、安兵衛はけげんそうな顔をした。

「どうかされたのでござるか」

「友也のこと訊かないの？」

うつむいたままひろ子は言った。

「おお、友也殿でござるか。どうしておられる」

「泣いてるわ。毎日」

「それはいかぬでござるな。拙者はなかなかお目にかかれぬゆえ、ひろ子殿、叱ってさしあげてくだされ」

「あなたがいないから、泣いてるのよ」

ひろ子は顔を上げて、安兵衛を見つめた。彼の目は丸く見開かれていた。

「それはまたどうしてでござるか」

「分からないの？　あの子、寂しいのよ。安兵衛さんがいてくれないと、我慢できないのよ」

「しかしそう言われても――」

「お願い、安兵衛さん」

さえぎってひろ子は続けた。

「忙しいのはもちろん知ってるわ。でも何とかして、一日一時間でいい、友也のために使ってもらえないかしら。もちろん私、安兵衛さんの気持を理解できるの。こんなこと、頼めた義理じゃないことも分かってる。これまで仕事のために友也の世話をほっぽってたのは私なんですものね。それをまげてのお願いよ。今のままじゃ、友也、どうかなっちゃう」

「友也殿は、そんなに拙者のことを？」

「そうよ。泣いて泣いて、げっそりしちゃってるわ。もうすぐ小学校なのよ。身体も心も大きくならなきゃいけない大事な時期なの。それをあんなふうに過ごしているのが、私、可哀想でならないの」

うーんと唸《うな》って、安兵衛は腕組みをした。

「安兵衛さんだって、友也のこと好きでしょう？　世話になってる恩返しにやってるだけでござるなんて、頑張っちゃってるけど、友也の面倒見るの、本当は楽しんでやってくれてたんでしょう？」

ひろ子がそう言った時、安兵衛の表情が一変した。彼は腕組みを解き、背筋を伸ばした。

「そのようにとられるのは困り申す」

「え？」

「ひろ子殿のお宅でうち向きのこと、引きうけてまいったのはあくまでもご恩返し。穀潰《ごくつぶ》しのそしりを受けるのが武士として耐えがたかったからでござる。それ以上でもそれ以下でもあり申さぬ」

「でも、安兵衛さん——」

今度は安兵衛がひろ子をさえぎった。

「いや、そこだけは拙者、はっきりさせておきとうござる」

ひろ子は唇をかんだ。最後の最後で失敗してしまった。安兵衛の性格をもっと計算に入れておくんだったと悔やんだ。

「でも、聞いてちょうだい、安兵衛さん。それならあなたが今、夢中になってやってることは何？　お菓子作りじゃない。それももともとは、うちではじめたことでしょう？」

「今のは仕事でござる。それにより、はばかりながら少なからぬ禄もいただいておる。以前とは、ものごとの性質が違っており申す」

「じゃあ、うちでやってくれてたことはみんな、お菓子やご飯作ったり、掃除とか洗濯とか、友也と遊んでくれたり、剣道教えてくれたり、保育園にお迎えに行ったり寝かしつけたりしてくれたことはみんな、やりたくないんだけど、仕方ないから、いやいややってたってことなの？」

いつの間にかひろ子の声も大きくなっていた。

「どうなのよ」

「いやいやというわけではござらぬが」

一瞬ひるんだ安兵衛に、ひろ子はかぶせるようにたたみかけた。

「いいえ、そういうことよ。ごまかす必要なんかないわ。はっきりさせたいんでしょ。遠慮なく言いなさいよ。私、よーく分かったわ。私たちのためを思ってやってくれてるんだと思ってたけど、大間違いだったって。本当は私たちといっしょに暮らすこと自体、いやいやだったんじゃないの？　だから仕事ができて、もうそんな必要もなくなって、ちっとも帰ってこなくなったんじゃない？」

「違うと申しておるではないか。拙者はただ、思いがけぬことでござったが、このようにテレビに出たり、雑誌に載ったり、はたまたどんな菓子が人に喜ばれるか考えたりするのが面白うて、あれもこれもやってみとうなって――」

「ほらごらんなさい。それよ。それが私が前に言ってたことよ。ちやほやされたい、成功したい。だから家事なんかやってられなくなるの。あなた言ったわよね。今のは仕事だって。そうよ、立派な仕事だわ。私なんかの何十倍も稼げるおいしい仕事。よかったわね、才能があって。認められるってこういうことよ。あなた、成り上がれたのよ。だから上様にも会わせてもらえるのよ。おめでとう」

とんでもないことを口走っているのは分かっていた。でも止められなかった。わだかまっていたものを、全部吐き出さずにいられなかった。

「けれどね、気をつけるのよ。あなた見世物になってるだけだからね。みんな、遠慮なくあなたを珍しがれるようになって喜んでる。有名人ってそういうもの。それであっという間に飽きられちゃう。現代人は薄情だからね。今が絶頂かもね。あとは下ってゆくだけよ。ケーキの味、落ちてない？　ほかの人に作らせるにしたって、やらせっぱなしで出かけちゃうようじゃ先が見えてるよ。ほんと、どれだけ持つかしら。あとひと月？　ふた月？　半年は無理ね。賭《か》けようか？」

「そうでござるか。ご忠告、ありがたく承る」

安兵衛もキレた。声がどんどん大きくなった。

「ならばいっそう、今のうちにやれることはやっておかねば駄目でござるな。申し訳ないが、友也殿にお伝えくだされ。しばらくはそちらに帰れぬと」

「分かったわ」

「お預けしておいた刀も、そういう次第ゆえこちらに引き取りとうござる。今度取りにゆき申す」

「お忙しいのにご足労いただくことないわ。明日にでも送っときます。たんすの上から落っこちでもしたらぶっそうだし、気が休まるわ」

「そうでござるか。ならちょうどよかったではござらぬか」

ひろ子を睨みつけ、安兵衛は「ほかに何か？」と言った。

「ない。これでおしまいよ」

ひろ子は立ちあがった。

「もう電車はござらんぞ。タクシーチケットを進ぜる。持っていかれい」

「いらないわ。それくらいのお金、私にだってあるわよ」

ビール代も机に叩きつけ、襖を開けた時、ちょうどいくら丼を持ってきた仲居とぶつかりそうになった。赤くなりかかった目を伏せて、ひろ子は靴をはいた。怒りにまかせたように、猛然と丼をかきこむ音が聞こえてきた。

小走りに店を出たひろ子は、大通りがどちらかも分からないまま、あてどなく歩き始めた。

あー、なんてことしちゃったんだろう。

撒《ま》き散らした言葉の毒が口の中をにちゃつかせた。気分は最悪だった。

誰にだってありそうなことだ。安兵衛はただちょっと浮かれすぎて、ひろ子たちのことを忘れていただけなのだ。ひろ子の話に心を動かされて、反省のふうすら示していたのだ。それを自分からぶち壊し、火に油を注ぐまねまでしてしまった。

一瞬、謝りに戻ろうかと思った。しかしそれはそれで引っかかりがあった。

確かに不注意だったかもしれない。でも私は悪くない。責任は向こうにある。なんていう強情っぱりだろう。あの無神経な言い方。やっぱり女を馬鹿にしてるから、ああいう言葉が口をつくのだ。そもそもことの発端は安兵衛の鈍感さにあるのではないか。人の気持を、なんにも分かってない。

憤然として足を速めた。ヒールの音を、街のざわめきの中に突き立てようとするみたいに。しかし、ざわめきはたじろぐ様子もなかった。低く、しかし途切れることもなく空気の中を漂ってくる。ひろ子のいらだちは嘲笑《あざわら》われていた。

結局、大通りに出るまで二十分もかかってしまった。見当違いのほうへ向かっていて、引き返すのにまた迷ってしまったのだ。やっとつかまえたタクシーのシートに身を沈めたひろ子の、口から漏れるのはため息ばかりだった。

友也の顔が浮かんだ。

ご免ね。ほんと、ダメなママよね。

一気に解決しようとした意気込みはどうしてしまったのだろう。友也のことも。自分自身のことも。解決どころか、後戻りしただけだ。それも、容易には抜け出せそうもない穴に落ちてしまったみたいだった。

8

「遊佐さん、どうしたんですか」

はっとして顔を上げた。

「バグの一覧、置いときますよ。それから、昨日お願いしてた写真処理の件――」

「ああ、あれ。ご免、取り紛れててまだ持ってってないの。今日中にやっとくから」

分かりました、と言いながら、どこか妙な表情で田中基彦が自分を見つめている。

やばいなあ。

自覚はあった。あの翌日から、仕事がさっぱり手につかなくなってしまった。鈍い田中ですら気づきはじめているのだ。ほかの同僚には丸分かりだろう。親子で安兵衛シック。情けない。

そんなことを思ったところに、田中がよりによって安兵衛のことを口にした。

「遊佐さんちに居候してた人、すっごく売れましたね」

「あ、ああ。そうね」

努めて明るく答えながら、「居候してた」という決めつけの過去形が気になった。でも、フリーターのいとことということなら、とっくにひろ子のマンションを出たと考えるのが普通だろう。

「昨日もテレビで見たんですけど、コメント、ますます冴えてきた感じですよね。容赦ないっていうか、一刀両断っていうか」

ひろ子はあれから安兵衛の出るテレビも雑誌も見ていない。見るのが怖い。田中の言う通りだとしたらそれはどういう意味だろう。ひろ子との喧嘩はまったく安兵衛のコンディションに影響を及ぼしていないのだろうか。それとも持ち前の気合で、仕事には響かせないよう頑張っているのか。はたまた彼もやはりブルーな気分になっていて、それがかえって舌鋒に磨きをかけているのか。そうなら多少なりと救われる気がするのだが。

「ケーキ屋も開いたのよ。忙しいから、ほとんど人にやらせてるけどね」

「へー。もう実業家って感じですね」

「ほんと。いっぺんに別の世界の人になっちゃったわ」

そう言って、ひろ子は机に向き直った。田中はまだしゃべりたいことがありそうな感じだったが、軽く首をふりながらプログラマー席に戻っていった。

別の世界の人か。

ひろ子は自分の言葉を反芻《はんすう》した。別の世界からやってきた人が、また別の世界へ去ってゆく。つじつまの合ったことなのかもしれない。しょせん自分たちは、安兵衛にとってひととき立ち寄った中継点でしかなかったのかもしれない。

もっとも、そんなことを考えても、安兵衛を頭から追い払えるわけがない。できるのは、だましだまし、目の前の仕事に自分を向かわせることだけだった。

昼休みまであと一時間半。果てしなく遠く思われ、心が萎《な》えかかった。と、机の上の携帯が、水から出されて苦しがっている魚みたいに暴れだした。のろのろと手を伸ばして、通話ボタンを押した。

聞こえてきたのは、担任の保育士の声だった。

「友也君、熱出ちゃったんですけど――」

着信番号を見た時から見当はついていた。そのうちこんなことになるのではと思っていたのだ。

「シッターさん、寄越してもらえますか」

「私が行きます」

「え？」

意外そうな保育士に、ひろ子は「大丈夫です」と答えた。

「何とかなりますから。三、四十分で行けると思います」

「はい。それはこちらは、どっちでも構わないんですけど」

とっさに「私が」と口をついてしまった。保育士もそう思っていたように、シッターに迎えに行ってもらえばすむことではあったのだ。けれどひろ子は、今、友也を人まかせにしたくなかった。ここにいたって、どうせろくな仕事はできない。逃げ出したい気持も働いていたかもしれないけれども。

早退を申し出ると城崎敦士は、やはりけげんな顔をした。シッターも風邪引いちゃったんですとみえみえの嘘をつき、振り切るように会社を飛び出した。電車に乗る前に家政婦にも電話して、今日は来なくていいと伝えた。

地下鉄からJRへ乗り換え、三時間ほど前にたどったばかりのルートを逆戻りした。降り立った大塚の駅前は、どこかしらいつもと違って見えた。平日のこんな時間にふいに現れたひろ子に、街のほうがとまどっているみたいだった。

けれども前には、よくこんなことがあったのだ。年中クラスに上がった頃からそれほどでもなくなったが、友也はよく熱を出す子供で、そのたび保育園から今みたいな電話がかかってきた。まわりに頭を下げまくり、仕事をほっぽりだして駆けつけながら、泣きたい気分になったものだと、今は懐かしい気がした。

保育園の門をくぐり、園庭からクラスの部屋へ回った。だがそこにいると思った友也は見えなかった。保育士に言われるまま、玄関から上がりなおして職員室に向かった。ドアを開けてちょっと驚いた。隅っこに敷かれた布団に、毛布にくるまった友也が寝かされていた。

「こんなにぐったりしちゃったんですか？」

「ええ」

と、ずっとそこで見ていてくれたらしい園長が眉をひそめていった。

「お電話差し上げたあともね、どんどん熱が上がっちゃって」

改めてその場で体温を測った。三十九・八度だった。友也も鬱屈《うっくつ》をためにためこんできた。しかもひろ子のように言葉にして相手に叩きつけることもできなかった。たえきれなくなった小さな身体をつきやぶって、毒が一気に噴き出し、暴れまわりはじめたのに違いなかった。

抱きかかえるようにして連れていった医者は、インフルエンザだと言った。

「もう治まりかけてたんですけどね。この時期まで残ってるウイルスはきついから。気をつけてください」

友也はそのあいだもずっとぼうっとしていて、注射されても痛がらなかった。また長い順番待ちをさせられた薬局で何種類もの薬をもらって、やっと二人はマンションにたどり着いた。友也は部屋の中を見まわした。

「今日はシッターさんも家政婦さんも来ないわ。ママがずっとそばにいてあげる」

ひろ子は微笑みかけた。しかし友也がもそもそと唇を動かしてつぶやいたのはやっぱりあの名前だった。

「今日もだめみたいなのよ。ママじゃやだめ？」

「ううん、そんなことないよ。ママ、お仕事休んでくれたんでしょう、ありがとう」

「ありがとうなんて言うことないのよ」

ひろ子は友也を抱きしめた。

「あたりまえのことなんだもの。ママこそごめんね。さ、熱さまし飲んで。ふとん敷いてあげるから寝てなさい。食べたいものあったら言って。そうだ、目がさめたらご本読んであげるよ。何がいい？　友ちゃんの好きなジオジオにしようか」

しかし友也はまた黙り込んだ。その目が、ここのところちっとも出番のない、部屋の隅にたてかけられた竹刀に注がれているのにひろ子は気づいてしまった。そっと友也のそばを離れ、コップに水をくんだ。あらためて呼びかけると、友也はゆっくりこちらを向いた。素直に薬を飲み、寝室に行った。

熱はいったん下がったけれども夜になってまたぶりかえした。暖房を目いっぱい入れても友也はがたがた震え、かと思うと頬をほてらせてぐったりした。食欲なんかどう見てもあると思えないのに、ひろ子のつくったおかゆを一所懸命呑みこもうとするのが痛々しかった。

翌日もひろ子は会社を休んだ。次の日も、そのまた次の日も。四日目になって、今日も来なくていいと連絡をした家政婦が、他に雇い口を探したほうがいいでしょうかと聞いてきた。考えるのがわずらわしく、好きにして頂戴と答えた。彼女も、じゃあそうさせてもらいますと言った。シッターはいつまで我慢できるだろうか。ぼんやり思った。

友也はもう安兵衛のことを口にしなくなった。何とも言いようのないせつなさで、ひろ子の胸は締め付けられた。

五日目になった土曜日のことだった。さすがのインフルエンザも、終息に近づきつつあるようだった。友也は日中の大半をふとんから離れて過ごし、テレビやゲームもできるくらいに回復してきた。一時は、次の週に予定されていた卒園式に出られるかどうか気をもんだほどだったが、医者も「何とかなるでしょう」と言ってくれた。

今かもしれない。かゆから普通のごはんに戻った昼食を終えて、ひろ子はふと思った。

安兵衛からは相変わらず電話の一本もない。このまま、もう帰ってこないのかもしれない。そうだとして、何の不思議もない。

経済的には、仮にひろ子の言った通り人気があと数ケ月しか続かなくても、当面困らないだけのものを安兵衛は稼いだだろう。いざとなったら、一ケーキ職人としたって十分やっていけるはずだ。

友也のことはともかく、安兵衛が自分のもとを去りがたく思ってくれるのでは、などとつい想像したことが、我ながら馬鹿げていたと顔が赤らんだ。あれだけ若い女に人気のある安兵衛なのだ。その気になれば、ぴちぴちした彼女をいくらでもつくれるだろう。いや、すでにつくっているのではないか。そう考えて、何もおかしいことはない。

思いきるべき時だ。友也も、必死に耐えているうちに、安兵衛の不在を受け入れる準備ができたのではないだろうか。もちろん泣かせてしまうだろう。残酷かもしれないが、しかしこのへんではっきりさせたほうがいいのではないか。卒園式には、ふっきれた気持でのぞんでほしい。それなら、心を整えさせる余裕を見こんで、今が区切りのつけどころなのではないか。

外はいい天気だった。春めいてきた陽射しの入るリビングは、ひろ子には暑すぎるくらいだった。友也はソファで、買ってやった幼児雑誌の付録を組み立てていた。

「できる？　友ちゃん」

「ちょっと難しいけど――」

友也はひろ子と視線を合わせ、「大丈夫、できる」と言った。その態度にも力づけられて、ひろ子は決心した。友也の正面に立ち、それからしゃがんで目の高さをそろえた。

「あのね」

「なあに、ママ」

「安兵衛さん、もう帰ってこないと思う」

一瞬のうちに友也の表情は変わってしまった。パンドラの箱からこの世のわざわいが飛び出してゆく瞬間を目撃しているような顔だ。

「どうして？」

かろうじて友也は尋ねた。

「安兵衛さん——おじさんね、ほかにやることがいろいろできちゃって、私たちのこと構ってられなくなっちゃったのよ」

「ほかにやることって?」

「そりゃ、テレビ出たり、ケーキ屋さん開いたり、本書いたりとか」

「今までといっしょじゃない」

「もっと忙しくなったのよ」

「忙しいと、オレのうちに住めなくなるの?」

「そういうこともあるわ」

「やすべえさんが言ってたの? 絶対だめだって?」

ひろ子の顔に浮かんだためらいを友也は見逃さなかった。

「ねえ、本当に言ってたの?」

「絶対、とは言わなかったけど——」

「ほら!」

友也の目がぱっと輝いた。

「オレ、聞いてくるよ。それでお願いする。やすべえさん帰ってきてって」

「だめよ。ここから勝手に出ていったのはおじさんなのよ」

しかし友也はもう聞いていなかった。

「オレ行くよ。やすべえさん、今、ろっぽんぎにいるんでしょう？　どうやって行くの？　教えてよ」

「いけません」

重々しく、精一杯の威厳をこめてひろ子は言った。

「友ちゃん病気なのよ。やっとちょっとよくなってきたところじゃない。今外に出たら元に戻っちゃう」

「じゃあなおってから。いいでしょ。お願い」

「ママを困らせないで」

友也はひろ子を睨みつけた。負けてはいけない。ひろ子も睨み返した。しかし先に耐えきれなくなったのはひろ子のほうだった。

「分かったわね」

そらした視線をベランダの向こうの何もない空間に向け、逃げるように立ちあがった。友也同様に、ひろ子の心も激しく揺れていたのだ。それを悟られたくなかった。友也は取り残されて、そのまま動かなかった。

とにかく踏み出した。あとは時が癒《いや》してくれるのを待つしかないだろう。頭を空っぽにしたくて、掃除をはじめた。丁寧にはたきをかけ、掃除機を使ったあと、まだ身体を動かし足りなくてぞうきんとバケツを持ち出した。

すっかり春らしくなったとはいえ、水はまだ冷たい。それがかえって気をふるいたたせた。固く絞ったぞうきんを両手のあいだに広げ、まずは寝室からはじめた。きれいに見えていた畳から思いがけずたくさんの汚れが吸い出されてきた。バケツに汚れを放つと、その分心もすっとする感じがした。家事に意外な効用があるのを、ひろ子は発見した思いだった。

そうだ、友也にも手伝わせよう。いっしょにやってみよう。彼の気分も変えられるかもしれない。これくらいなら身体に障《さわ》らないだろう。

リビングに戻ってソファに目をやった。しかしさっきまでふくれっつらをしていたそこに、今、彼の姿はなかった。食卓にも見えない。台所の中をのぞいてみた。

「友ちゃん」

トイレの前で言った。

「電気つけてしなさいよ。暗いでしょ」

返事はなかった。ノックをし、そっとドアを引いてみた。からっぽだった。もう一度リビングを見た。ソファの前にさっきの付録の部品が散らばっていた。

「友ちゃん」

ベランダ、風呂場、押し入れの中、人の入れそうなところはすべて改めた。信じられなかった。だが、最後にはそれをしないわけにいかなかった。玄関を調べると、友也のスニーカーがなくなっていた。朝から開けていないはずの鍵も開いていた。血の気がひいた。

サンダルをつっかけて外廊下を端から端まで歩いた。手すりごしに中庭を見下ろしてくらくらした。一階に降りた。ピロティーを見てまわり、マンションの外を一周した。戻ってくると、非常階段をひとつずつ上がって各階をチェックした。だるくなってきた足で部屋に戻りドアをあけた。スニーカーはないままだった。

がくりと食卓の椅子に腰を下ろし、頭をかかえた。安兵衛は帰ってこないと言われた時のぼうぜんとした表情、しつこく食い下がった声がまざまざとよみがえってきた。

探しに行ったんだわ——。

しかし、ただがっくりきているわけにはいかなかった。すぐに立ちあがったひろ子は、お絵かき帳から破りとった紙に「ともちゃんへ。ママはともちゃんをさがしています。かえってきたら、ここでまっていなさい」とマジックで太く書いて、絶対に見落とされないよう、玄関を入ったところの床にセロテープではりつけた。ドアの鍵はかけず、今度はジョギングシューズを履いて飛び出した。

自転車のペダルがひどく重く感じられた。バス通りを、両側に目をくばりながら駅に向かった。往復したあとは、考えられる限りのコースを走りまわった。立ちよるかもしれないと思ったところ、とみやや、保育園や、安兵衛との剣道の練習場所だった公園ものぞいてみた。土曜の午後の保育園はしずまりかえっていて、公園は子供であふれていた。だが、友也がいないことに関しては同じだった。

ぐったりとしてひろ子は一度マンションに戻ってきた。帰ってくれているのではないか？　八階に上がるのが怖かった。いるはずだと思ったし、いないような気もした。

「友ちゃん？」

鍵は外されたままだった。祈る気持で部屋に入った。スニーカーはなかった。また部屋中を改めた。

重苦しさと、ずっと夢の中にいるような現実感のなさが同居していた。どうすればいいのだろう。

警察だ。

ひろ子はちらりと時計に目をやった。友也がいないのに気づいてからまだ一時間ちょっとしかたっていない。友也が出ていったのは早くてもその三十分前だろう。大げさ過ぎるだろうか。しかし迷わないとひろ子は決めた。笑われてもいい。怒られてもいい。打てるだけの手は打っておかなくては。

警察に持っていく友也の写真を探した。アルバムにあるうちから、顔のよく分かる新しいものを二、三枚選んではぎとり、着たままのハーフコートのポケットにつっこんだ。

チャイムが鳴ったのはその時だった。ひろ子ははじかれたように玄関へ駆け出した。

「友ちゃん！」

押し開けたドアがごつんと抵抗を受けた。

「ごめん、友ちゃん。ぶつかっちゃった？」

「ててて――」

はだしのままたたきに下りていたひろ子の耳に届いたのは子供の声ではなかった。

「誰？」

安兵衛ではないか。一瞬、そう思った。だが、すきまから外をのぞいて目に入ったのは別の、もっと思いがけない人物だった。

「田中君？」

田中基彦は顔からドアにぶつかったらしく、ほとんど落っこちそうにずりおちた眼鏡をかけなおしながらよろよろ立ちあがった。

「どうしたのよ」

「それはこっちのセリフです」

田中はひろ子をにらみつけた。しかし額から鼻の頭にぶつけたあとを残していては迫力ゼロだ。

「ご免なさい。でもそんなドアのそばに立ってるなんて思わなかったから」

「違いますよ。僕が聞きたいのはそんなことじゃない。ぼく、遊佐さんが会社辞めちゃうんじゃないかと思って」

「へ?」

「あの、いとこの人の手伝いするんじゃないんですか。事務所作って共同経営者になるんじゃないんですか。お子さんが病気なんて言ってたけど、ほんとはそっちの準備で休んでるんでしょう?」

「ちょっと、勝手に決めないでよ」

だが田中は耳を貸さなかった。

「そんなことになったら、僕、どうしたらいいんですか。僕、遊佐さんのおかげで、自分がようやくまともに、一人前になりかかってきたかなって、ちょっぴりだけど自信がついてきたところだったんです。それなのに遊佐さんが会社辞めちゃったらどうしたらいいか、考えるだけで途方に暮れちゃって。それで、なんとか思いとどまってもらいたくて」

「で押しかけてきたってわけだ」

「はい」

田中は情けない声でうなずいた。

「言っとくけど私、そんなことぜんぜん考えたことないよ。本当に子供、病気だったの。ここんところ、ほかにもいろいろあったのは確かで、会社のことがおろそかになってたのもその通りだけど、辞めるなんて思いもしなかったわ」

「でも、城崎さんも誰もかれも、遊佐さんはきっとそうだって」

「誰が何をあなたに吹きこんだか知らないけど、本人が違うって言ってるの。私の言うこと、信じられないの？」

「いいえ、そういうわけじゃ――」

ひろ子はかかとを踏んだままだったシューズを履き直すと、田中を押しのけた。

「どいてちょうだい。私、これ以上あなたの相手してられないの」

廊下をエレベーターに向けて小走りにゆくと、田中が追いすがってきた。

「どこ行くんです。鍵もかけてないんじゃないですか」

「その病気の子供がいなくなっちゃったのよ」

振りかえってひろ子は言った。

「ええっ？　どういうことです？」

「どうもこうもないわ。家を出て行っちゃって、探してもいないのよ」

田中はまたぽかんと口を開けていた。ひろ子は無性に腹が立ってきた。

「聞いたんなら手伝いなさい」

ひろ子はちょうど開いたエレベーターに田中を手荒く押しこんだ。ポケットの写真の一枚を田中に渡し「この子を捜して頂戴」と言った。

「あなた、まだまだ全然だめよ。一人前なんて大間違い。うちの子にも劣るわよ」

説教しながら胸がつまった。

「だからあの子を見つけて。見つけてくれたら、さすが私のスタッフだって認めてあげる」

言いながら、頭を下げた。お腹にくっつくぐらいに下げた。

「お願いよ……どうか、見つけてやって」

「六本木？　保育園の子が？」

「ええ、きっとそうだと思うんです」

交番にいた初老の警察官に、事情をありのまま説明した。タイムスリップうんぬんははしょったが、安兵衛が突然ひろ子たちの前に現れ、一緒に住むようになったいきさつもきちんと伝えた。友也がどれほど安兵衛に会いたがっているか、理解してもらうために必要だと思ったからだ。後ろに田中がいたが、聞かれたってもう構わなかった。

「しかし、そこにお子さんは行ったことないんでしょう？」

警官の反応は鈍かった。

「それはそうですけど」

「じゃあ、行き方、とても分からないでしょう。きっとこの近くにいますよ」

「でもなんだか私、あの子は行っちゃうみたいな気がするんです」

警官はそれには答えずに言った。

「お子さんが自分で出てゆかれたということなら、事件、事故の可能性は少ないと思います。すぐ見つかると思いますが、念のため手配をしておきましょう」

「よろしくお願いします」

どれくらいの規模でやってくれるのか不安を抱きながらも、頭を下げるしかなかった。一方で警官がデスクの電話をとり友也の年齢や服装を伝えるのを聞くと、いなくなったという事実が改めてひしひしと迫ってきた。

友也の写真を複写するため巣鴨署に向かった警官から、マンションで待っているよう指示されたがそういう気にはなれず、自分たちも捜すから連絡は携帯にしてもらうよう頼んだ。

「あの人、いとこじゃなかったんですか」

「騙《だま》したことは謝るわ。でも、男と女とか、そういう関係には、少なくともこれまでのところなってなかったの。すっごくややこしいのよ。今は説明してるひまないけど」

そしてひろ子は田中に言った。

「とりあえずこの辺をもっと捜してみましょう。私は北口をもう一回見てみる。田中君は南口のほうを」

分からなかった。どうして自分がこんな目に遭わなければいけないのだ。理不尽だった。腹が立って悲しくて、何より友也が心配だった。

表通り、裏道、行き止まりの路地までひとつひとつ丁寧にのぞきこんでゆくと、江戸時代へ通じる道を見つけようと三人で歩き回った時のことが思い出された。

ずいぶんこのあたりの地理にくわしくなった。近所なのに知らなかった道が結構多くて、へえ、こんなふうにつながっているのかと驚いたりもした。しかしそうした記憶もまたあやふやになりかかっている。なんだかずいぶん昔のことみたいに思えた。

あの頃と同じく、捜しているものは簡単には見つからなかった。友也の写真を商店街の人に見せて、こんな男の子が歩いていなかったかと尋ねた。が、みな首をかしげるばかりだった。心配だねえと同情されるたび涙が出そうになった。

ひとわたり捜し終わって、田中と携帯で連絡をとった。田中も収穫なしだった。友也が駅とは違う方向に行った可能性もある。持ち場を変え今度はマンションの北側を、田中が明治通りまで、ひろ子はその向こうと分担した。

上池袋交差点のファミリーマート前で、二人は三時に落ち合った。

「どう？」

「だめです」

息も絶え絶えに田中は答えた。

「すみません」

「田中君のせいじゃないわ。こっちも全然だめ」

「マンションに戻ってるんじゃ」

「今、見てきたけど、いなかった」

ひろ子はちょっと休もうといって、ファミリーマートのイートインに田中を誘った。

「大丈夫です。それより早く、次のところを捜しましょう」

「無理しちゃだめ。私は自転車だからまだしも、相当足にきてるはずよ」

「でも――」

「へばっちゃったら、元も子もないでしょ」

ひろ子は缶コーヒーをふたつ買ってひとつを田中に渡した。田中は恐縮しながらそれを飲んだ。

「警察はちゃんと捜してくれてるんでしょうかね」

「おまわりさん、見かけなかったわよね。見かけたら保護するってだけなのかもしれない」

「ひどいですよね」

「プロの感覚で大丈夫ってことでしょう。私はそう考えることにするわ」

「普通の人はほんと、親切なんですけどね」

田中も写真をつかって友也を見かけた人がいないか聞きこみをしていたのだ。

「正直知らない人に話しかけるのすごく苦手だったんですけど、みんな一所懸命思いだそうとしてくれるんでちょっとびっくりしましたよ」

誰かに尋ねているとまわりから人が集まってきて、あっちのほうじゃないか、どこそこにいるんじゃないかと教えてくれる。ピンクサロンの呼びこみのおじさんまで加わってきた、と田中は報告した。

「私、やっぱり友也、六本木に行っちゃってる気がするの」

「少なくともこのあたりには――いないかもしれませんね。でもじゃあどこってなると」

口ごもった田中に、ひろ子はきっぱり言った。

「いいえ。きっと行ってるよ。行き方は人に訊けばいいし、だれか大人にくっついて入れば、駅員もとがめないわ。あの子のことだもの。我が子ながらだけど、案外しっかりしてるのよ。何たって、安兵衛にずいぶん鍛えられたんだから」

「遊佐さん」

田中は、改まった顔で口を開いた。

「遊佐さんがそう言うんだったら、きっとそうなんだと思います。行ってみましょう、六本木に。それから、差し出がましいかもしれないんですけど」

「何？」

「木島さんにも、このこと伝えたほうがいいんじゃないかと思って」

「でもあの人――」

「遊佐さん、なんだかんだ言って、木島さんをすごく頼りにしてるんじゃないですか。失礼だけど、木島さんがいなくなって、途方に暮れてるみたいに僕には見えるんです。意地張ってないで、電話したほうがいいですよ。それでもし何にもしてくれなくても、もともとってことじゃないですか」

にわかに返事ができなかった。田中がそんな提案をしてきたことがまず思いがけなかった。けれど、言われてみると、自分もそのことを心のどこかでずっと考え続けていたような気がした。

「分かったわ」

祈るような気持で携帯の呼び出し音を聞いた。だめかと思いかけた八回目のコールのあと、ふいに回線がつながった。

「ひろ子殿でござるな」

いきなり安兵衛の声がした。

「何でござる。拙者、今日はとりわけて忙しゅうござる。これから松平様にお目にかかるのでな」

「友也がいなくなったの」

「どういうことでござる」

「私の目を盗んでマンションから出ていっちゃったのよ。あなたに会いに行くために」

息を呑む音が携帯から伝わってきた。

「まことでござるか」

「そっちに行きたいっていうのを叱ってやめさせたの。そのすぐあと、いなくなったわ」

「分かり申した」

安兵衛は言った。

「拙者、何をいたせばよいのでござる」

9

アマンド前で待っていた安兵衛は、例のスタイルであたりをゆく人々の注目を集めまくっていた。しかし気後れしている場合ではない。ひろ子が小走りに近づくと、向こうも気がついて歩み寄ってきた。

「その後何か手がかりはござったか」

「ないの。何にも」

「左様でござるか――」

天を仰いだ拍子に安兵衛の腰の刀が触れ合ってがちゃりと音をたてた。

「それ、今日はイミテーションじゃないの？」

指摘されて、彼はばれたかというふうに頭を掻《か》いた。

「松平様にお目にかかるのに、やはり偽物ではと思うて。マネージャーに秘密で持ってまいったのでござる」

「イミテーションじゃない？」

田中のすっとんきょうな声はこの際無視した。

「電話をもらったのが、ちょうど出かけるところでござってな。マネージャーはどうにかまいてまいったが、着替える間がのうて。何より、松平様への失礼が気にかかり申す――」

しかし安兵衛はきっと顔を上げた。

「お許しいただけねば腹切ってお詫《わ》びすればすむ話。今は友也殿を捜すのが一の大事でござる」

この分ではあとでまたひと騒動ありそうだ。が、友也を捜すのを優先すべきなのは、安兵衛の言う通りだった。問題は、友也が六本木ヒルズという名前まで憶えていたかどうかだろう。ともかく三人は大塚でやっていたのと同様、手分けしてあたりを聞きこむことからはじめた。さっそく安兵衛が目についた本屋に入った。

「キャンペーンか何か？」

店員はどぎまぎしている。

「さようなことではござらぬ。小さな男の子を見かけられなんだか」

有名人に真剣な表情で尋ねられればいいかげんな返事はできないだろう。強力な援軍に励まされて、ひろ子も田中も街に散った。

友也がここに来たとしての話だが、好都合なのは子供などほとんど歩いていないので目立っただろうし、ほかの子供とまぎれる心配も少ないことだった。一方で、大塚駅前の商店街と違って上品な造りのカフェやブティックばかりのこのあたりでは、往来の様子を尋ねても答えられそうな人があまりいなかった。

やがてひろ子は麻布警察署の前に出た。手配されているはずなのだから、とは思ったが、いちおう玄関に立っていた警官に訊いてみた。

「六歳の男の子?」

「ええ」

「どうしたんです。迷子ですか」

明らかに友也の手配は、その警官には回っていないようだった。何でもないと答えてひろ子はそこを離れた。下手をするとまた同じことを説明させられて、余計な手間をくってしまいそうだった。

腕時計は五時近くをさしていた。ひところに比べ日はずいぶん長くなってきたが、ここでは通りの両側に立ち並ぶビルのせいで、すでに夕陽がすっかり見えなくなっている。寒さがじわりとしのびよってきた。

友也は上着を着ていかなかった。ポロシャツの上にちょっと厚めのトレーナーを重ねているだけだ。三月の夜は冬とそう変わらない。いくら温暖化の東京とはいえ、インフルエンザの抜けきっていない身体で、ひと晩外で過ごさせるようなことになったら。

背中に寒気からくるものとは別種の、冷たいものを感じた。次の聞きこみ相手を見つけなければ。足を速めた時、ポケットの中で携帯が鳴った。

もどかしくそれを引っ張り出し、耳に当てた。

「いた？」

「いや、まだでござる」

安兵衛だった。

「じゃが、それらしい子供が通ったと言う者がござった」

駆けつけてみるとそこは、正しく六本木ヒルズへ向かう坂道の途中の、こんなところにという感じで残っていた昔ながらのタバコ屋だった。安兵衛が話を聞いたのは朝からずっと店番をしていたというおばあさんで、子供はヒルズの方向に歩いていったという。

ひろ子が写真を見せると、おばあさんは首から下げていた老眼鏡をかけてそれをしげしげ眺めた。

「そうだ、この子だったよ。間違いない。三時頃だったかねえ」

やはり友也は来ていたのだ。しかもヒルズに向かっている可能性が高い。ひろ子と安兵衛、そしてひろ子と同じく携帯で連絡を受けてやってきた田中は顔を見合わせた。

と、そこへ背後から声がかかった。

「安兵衛さん」

や、と安兵衛も振りかえって挨拶した。東日テレビの関係者らしかった。

「何してるんです」

「いや、友也殿が――」

「友也？」

「ほれ、拙者がコンテストで出た時に助手をしたお子でござる。あのお子が家出してしまっての。どうもヒルズに行ったらしいのでこれから捜しに行くところなのでござる」

「それは大変じゃないですか」

相手はびっくりしたように言った。

「じゃ、うちの連中にも見かけたら知らせるよう伝えときます」

「ああ、よろしくお頼み申す」

言いおいて三人はヒルズのほうへ駆け出した。ほどなく下り坂の先に東日テレビの局舎が現れ、さらに向こうの高層ビル群も見えてきた。

「まず、安兵衛さんのマンションに行ってみましょう」

「オートロックでござるからなあ」

「でもエントランスまでなら行けるでしょう。今いなくても、誰かに見られているかもしれない」

ガードマンはこのあいだひろ子が訪れた時と同じ男だった。もっとも今日は、安兵衛を見るなり愛想よく会釈して近寄ってきた。

「運送屋から連絡ありました。引き取らせる台所用品って、車寄せの奥に置いてあるやつですよね」

「拙者の名が書いてござろう。いや、今そんなことはどうでもよいのじゃ。子供、男の子を見なんだでござるか」

「ああ、さっき、安兵衛さんはここにいるのかって来ましたよ。学校あがるかあがんないかくらいの」

えっ、と三人は同時に叫んだ。取り囲まれて相手はびっくりしたに違いない。

「私の子供なんです。捜してるんです」

「その子はどこへ行ったんですか」

「いえね」

彼はしどろもどろに言った。

「安兵衛さん、ここにいるのって訊かれたんで、それは教えられないって答えたんですよ。規則ですからね。でもあんまりがっかりした顔するから、いるかどうかは教えられないけど、もし見かけたらボクが来たことは伝えとくって。そしたらどっかへ行っちゃったんです」

「いつ頃の話でござる」

「えーと、一時間はまだたってないかなあ」

また三人は走った。

「友也殿！」

「友也！」

「友也くーん」

いくつかある住宅棟のまわりからアプローチを調べ、植えこみの陰ひとつひとつに友也の名を呼びかけた。

「お店のほうに行ったのかもしれませんね」

「探すでござる」

ブランド店の並ぶアーケードは、土曜の夕方ということもあるのだろう、かなりなにぎわいだった。住人であることを誇示する犬連れも目立つが、多くは買い物や食事によそから来ている人たちだろう。そこでひろ子たちがまた友也の名を呼びはじめると、彼らは何ごとかと最初びっくりしていたが、すぐにそこに安兵衛がいるのを認めた。

あっという間に安兵衛は取り囲まれた。携帯のフラッシュがぴかぴか光った。サインや握手を求めて無数の腕が突き出された。

「申し訳ござらぬ」

謝りながら、安兵衛が事情を説明すると、彼らのあいだにざわめきが広がった。

「あ、コンテストで見た子ね」

「可愛かったよね」

「いなくなっちゃったの？」

一緒に捜すよ、近頃子供にはぶっそうだからねと誰かが言うと、「私も」「私も」と声が続いた。

安兵衛が礼を述べ、ひろ子たちも頭を下げたその時、携帯のものとは違う強いライトが浴びせられた。何事かと目をやると、いつの間に現れたのか、数組のテレビクルーがこちらにカメラを向けていた。スチールのカメラマンや記者らしい連中も見える。記者クラブから東日テレビのクルーが飛び出したので、よその社も何事かと追いかけてきたとのことだった。「子供が誘拐されたんですって？」などと訊いてくる者もいた。

誘拐？　知らぬ間にとんでもない尾ひれがついていることにひろ子は驚いた。しかし、捜す人数は多いに越したことはない。

「誘拐というわけではないのでござるが――ま、ともかく参ろう」

一団はぞろぞろと動きだした。マスコミも何だかよく分からないままついてきた。実況をはじめる者もいた。

「えーこちら六本木ヒルズはヒルサイドエリアから生中継でお届けしています。お菓子研究家、木島安兵衛さんのお子さん、いや失礼しました、お知り合いのお子さんが行方不明になられ、このヒルズ内にいるらしいとの情報がもたらされたそうであります。ただいま、安兵衛さんを先頭に、捜索隊が懸命に友也君を探しています。あ、五十メートルほど向こうに小さな男の子が見えました。安兵衛さん、自ら走り寄って――残念、母親らしい人物が後ろについていました。しかし安兵衛さん、がっかりした様子は見せません。必ずここにいる。そう確信しているようであります」

ホールにあったテレビにほとんどお祭りのような自分たちの様子が映し出されているのを見て、田中はすっかり気圧《けお》されていた。

「なんだかものすごいことになっちゃいましたね」

「でもこれならきっと見つかるわ」

ひろ子は笑みをつくって言った。あとのことを考えると、ちょっと怖い気もしたけれども。

実際、友也が見つかるのは時間の問題のように思われた。ヒルズ内にいることは間違いなさそうなのだ。きらびやかなブティック、レストランやカフェの立ち並ぶ前を行進しながら、トイレやちょっとした物陰のすみずみまで改めてゆく。「捜索隊」が全員で友也を呼ぶ声は、ビル群をゆるがさんばかりだった。ワンフロアの端から端まで歩くと上に移動し、すべての階を見終われば別の棟に移った。

アーケードから超高層のタワービルへ。展望台、美術館もチェックした。巨大な吹きぬけの通路を通って映画館の入った建物を屋上までふくめて見まわったあとは、もう一度住居棟わきを経て、マジックショーでにぎわう野外劇場に出た。それから奇抜な現代彫刻と純和風庭園の取り合わせが名物の公園を調べた。

「我々がヒルズに入ってから一時間ほどたちました。主だった施設を一巡いたしましたが、依然友也君は発見されておりません」

アナウンサーの実況に安兵衛も「妙でござるな」とつぶやいた。

「どこにいようとも声は聞こえておるはず。出てきそうなものじゃが」

「行き違いになってるのかもしれないわ。もう一度、同じコースで捜してみましょう」

ひろ子は言った。安兵衛もうなずくほかなかった。

一行はふたたびヒルズを巡った。しかし、友也はいなかった。時は刻々と過ぎ、建物の外に出るたび冷気が肌を刺した。

「おかしいのう」

安兵衛はしきりに首をひねっている。目に焦りの色が浮かんでいた。

「別なところに行っちゃったのかしら？」

ひろ子もまたひどく落ち着かない気持になっていた。

「いや、近くにいますよ。必ず。友也君は木島さんがここにいるって、理解したはずです」

「でも、だったらどうして出てこないの。あの子、何してるの」

励ますように言った田中に、ひろ子は逆に食ってかかった。

「それはよく分かりませんけれど……」

「分からないんならいいかげんなこと言わないで頂戴《ちょうだい》！」

一行は住居棟エリアにさしかかった。ひろ子たちにとっては三度目の場所だった。

「友也殿ー」

「友也ー」

安兵衛、ひろ子に続いて、「捜索隊」は声を揃えた。

「友也くーん」

だがそれはむなしくビルにこだましながら夜空に消えてゆくのみだった。

「おかしゅうござる。絶対におかしゅうござる。聞こえぬわけが――」

つぶやいていた安兵衛が、何かに思い当ったように顔を上げた。

「まさか」

見る見るその表情が険しくなり、彼は猛然と走り出した。

「どうしたの」

びっくりして尋ねたが、彼は答えるひまも惜しむようだった。仕方なくひろ子も後を追った。

「何だ」

「いたの？」

「続け、続くんだ！」

先頭に立つ安兵衛が向かっているのは、自分の部屋があるマンションのほうだった。彼はまっすぐそれに近づいたが、玄関の前で進路を変え、車寄せの奥に入っていった。そこにはトラックが停まっていて、作業服姿の男たちがコンロ台やオーブンを積み込んでいるところだった。荷台には、すでに冷蔵庫が引き上げられてロープでぐるぐるしばりつけられていた。

「待たれい！」

言われるまでもなく作業員たちは、この異様な集団に度肝を抜かれて手を止めていた。安兵衛は荷台に飛びあがると、体当たりするような勢いで冷蔵庫にとりつき、ロープを解きにかかった。ひろ子と残りの人々そしていくつものカメラが、息をつめて安兵衛の動きを見つめた。ロープがばらりと地面に落ち、安兵衛は扉をあけた。

「友也殿」

かがみこんだ安兵衛が立ち上がってひろ子たちに向き直った。その腕に、ぐったりした友也が抱かれていた。降りてきた安兵衛にひろ子は声にならない叫びをあげて駆け寄り、友也を揺さぶった。

「ママ――」

友也は薄目を開けた。ひろ子の目から熱いものが流れ出した。

「駄目じゃない、心配かけて」

あとは何も言えず、安兵衛から受け取った友也を抱きしめた。

「安兵衛さんが、助けてくれたのよ」

「どうにか間に合い申した。あのまま運ばれて、見つけるのに時間がかかっていたら危のうござった」

「やすべえさんの名前が書いた紙が貼《は》ってあったから、この中にいたら部屋に入れるんじゃないかなって思って――そしたら中からはどうしても扉が開けられなくて――だんだん苦しくなってきて――」

きれぎれに言いながら、友也は安兵衛に顔を向けた。

「オレのこと、捜してくれたの？」

「当たり前でござる。友也殿は、拙者の大切な――」

ふいに安兵衛の声が途切れた。

「泣いてるの？　やすべえさん」

「泣いてなぞおらぬ」

「やすべえさん、オレも何か、涙が出てきちゃったよ」

「男は、泣いたりするものでないといつも申しておるではござらぬか」

しかしどう見ても、安兵衛はしゃくりあげる寸前だった。誰かが拍手をした。それは安兵衛を真ん中にした人の輪の中にひろがっていって、やがて大きな手拍子になった。

「さ、参ろう」

安兵衛はひろ子をうながした。友也も歩けるようになっていた。田中を加えた四人は、その手拍子に送られるようにゲートタワーのほうへ向かおうとした。

その時だった。

「見つけましたよ、安兵衛さん！」

安兵衛のマネージャーだった。ぜいぜい言いながらこちらへ走ってくる。テレビで居場所を知って駆けつけてきたのだ。

「まずうござる」

安兵衛は青ざめてつぶやくと、さっとそばにあったマンション用地下駐車場に飛びこんだ。つられてひろ子も友也を抱き上げて続き、となると田中もそうしないわけにいかなかった。

「逃がしませんよ！」

しかし安兵衛はさすがに住人だけあって、中の構造を熟知していた。ベンツ、BMW、ジャガー、ところどころにフェラーリやポルシェも交じる車の列を縫って進み、マネージャーが入ってくるより早く非常階段の一つにみんなを導いた。

出てきたのは、住居棟の裏側にあたる場所だった。表側とは雰囲気がまったく違っている。車がやっとすれ違えるくらいの道幅で、人通りも少ない。さっきまでの喧騒《けんそう》が嘘のようだったが、隠れるところもまったくない。

「どうするの？」

「とにかくつかまりとうはないでござる」

いったん緩んだ安兵衛の足がまた速まった。ひろ子も、もう一度友也を抱き上げようとした。が、今の階段でへとへとになっていた彼女はふらついてそばに止めてあった車にぶつかった。

「大丈夫？」

腕の中の友也に心配されて、ひろ子は苦笑した。考えてみれば自分たちまで逃げる必要はなかったのだ。が、次の瞬間、彼女の顔は強張った。がちゃりと音がして、その車の運転席が開いたからである。

「おい、おばさんよオ」

出てきたのは金色に髪を染めた小さな男だった。少し遅れて助手席も開き、こちらはスキンヘッドの大男が現れた。二人とも二十《はたち》になるかならないかくらいで、揃って太い縦じまのダブルのスーツを着、先の尖《とが》ったエナメルの靴を履いていた。ふたりは申し合わせたみたいにたばこに火をつけて、ゆっくり煙を吐き出しながらひろ子の目の前を横切り、ひろ子がぶつかったボンネットに顔を近づけた。今気づいたのだが、車はレクサスだった。真っ黒のボディにスモークガラスがはめられている。

「おー、ひってえ」

小さな男が大げさに肩をすくめた。

「すみません」

ひろ子は頭を下げた。友也は男たちを睨みつけた。でも今の彼にはそれが精一杯だった。

「すみませんだア?」

「ほんとすみませんでした」

「すみませんっていくら言われたってさ、キズ直んないんだよね。ちょっとへこんでる感じもするし。板金だね」

「弁償させてもらいます。あの、おいくらくらいなんでしょうか」

「おいくらねえ。よく分かんないけどねえ。これ、安い車じゃないんだ。知ってる？　だからねえ、修理もそれなりにかかるんだよねえ」

「待たれい」

いつの間にか引き返していた安兵衛がつかつかと男たちとの間に入った。

「さ、ひろ子殿、友也殿」

「でも――」

「ご心配めさるな。さ」

言いざまひろ子の背中を押した。ひろ子はやむなく下がった。

「何だお前は。妙な恰好しやがって」

「拝見いたすぞ」

安兵衛は勝手にボンネットを改め「傷などござらん。凹んでもおらぬ」と言った。

「いかほどの車か知り申さぬが、直すところがなければ修理代もかからぬが道理。あこぎな言いがかりはおやめなされ」

大男が身をかがめて小男に何かささやいた。小男はちょっと驚いた顔をした。

「てめえ、木島安兵衛か」

「いかにも。だが名を尋ねるならそちらから名乗るが礼儀と存ずるぞ」

「テレビでやってんのは芝居かと思ってたら、とんだおふざけ男じゃねえか。だがな、まさかこのままですむとは思っちゃいねえだろうな」

「どうなるのでござる」

「そうだな」

小男は新たに火をつけてくわえていたたばこを口から離した。

「まずはこうだ」

指先ではじかれたたばこが安兵衛の顔めがけて一直線に飛んだ、と見えたせつな、安兵衛の姿が消えた。いつの間にか彼は男たちの真横へ移動していた。その手に握りしめられた太刀は、ぴたりと男たちに向けられていた。

「重ね重ねの無礼、もはや見過ごしにはでき申さぬな」

「お、おい」

小男の声が震えた。少し離れたところにいる大男も、身じろぎもできず額に脂汗を浮かべていた。

「まさかお前――」

「成敗！」

気合もろとも安兵衛は小男の胸目がけて突きをくれた。が、その切先《きっさき》は寸前で止まった。「冥加《みょうが》な奴じゃ」と安兵衛は言い、刀を下げた。そして踵を返した。

「危ない！」

ひろ子が悲鳴をあげた。大男のほうが、安兵衛の後頭部をふところから取り出した短い棒のようなもので殴りつけたのだ。刀がアスファルトに落ちて金属音をたてた。しかし安兵衛は倒れなかった。ゆっくりと男たちのほうに向き直り、かっと目を見開いた。

「下郎めら」

素手のまま体を低くして突進した。が、簡単にかわされ、もう一発、大男の攻撃を食ってもんどりうった。小男が飛びかかって先の尖った靴でめちゃくちゃに蹴りつけた。おろおろして、友也といっしょにひろ子は安兵衛の名を呼んだ。それしかできない自分が呪《のろ》わしかった。田中はと見ると、これは完全に腰を抜かしてへたりこんでしまっていた。男たちはたっぷり五分ほども安兵衛を痛めつけたあとで、くたびれたのかやっと蹴るのをやめ、息をはずませて安兵衛を見下ろした。

「ざまあみやがれ」

小男の捨てゼリフとともに二人はレクサスに飛び乗り、タイヤをきしませて走り去った。三人は安兵衛に駆け寄った。

「これは恥ずかしい姿をお見せいたした」

ひろ子に抱き起こされ、安兵衛はうめいた。

「じゃが友也殿との約束、守り申したぞ」

友也が声をわななかせた。

「オレのせいでこんな――」

「いや、拙者が未熟なせいでござる。松平様なら素手でも軽く片付けたでござろうよ。ははは、ちと詰めが甘うござった」

「僕、警察を呼んできます。車のナンバー、憶えてますから」

腰を浮かしかけた田中は安兵衛に止められた。

「こちらでは、刀を振るうのはきつい御法度なのでござろう？　人こそ斬らなんだが、とがめを受けぬとも限るまい。そも拙者、身元を調べられてはちと厄介な身」

言って拾い上げた大刀を鞘にしまうと、それを杖代わりにしてよろめきながら立った。

「大丈夫なの」

「江戸侍の石頭は、ひろ子殿らとは鍛え方が違うのでござるよ」

「ならいいけど――あと、負けたからって切腹とかはご免よ」

安兵衛はにやりと笑ってみせた。

「心配めさるな。人を斬らず、己も斬らぬ。こちらの流儀も、案外よきものに思えてまいった」


「小普請組《こぶしんぐみ》？」

耳慣れない言葉を安兵衛から聞かされて、ひろ子はそれをおうむ返しにした。

「さようでござる」

蹴られたところなのか、時々腰のあたりを押さえながら、安兵衛はうなずいた。

「何をする仕事なの？」

「役目のない者が小普請組に入るのでござる」

「何にもしないの」

「何もいたさぬ。毎日ぶらぶらしており申す。せいぜい剣術の稽古くらいで、それもいくさのなき世には、はっきり申して無用の長物」

「それでお給料もらえるの？」

「禄は家ごとに決まっているものでござるから、役目とは別にあり申す。もっとも当家にてはたかだか二百石。いわゆる貧乏旗本でござるが」

助手席にいる田中の顔がバックミラーに映っている。その表情が見る見る居心地悪そうなものに変わっていった。タクシーの運転手もきっと同じだろう。

「頭が変になったのかって思ってるわよね、田中君」

「いや、何て言ったらいいか——」

「いいのよ。私だってそうだったんだから。でも、本当なの。ややこしい話になるのがいやで誰にも言わなかったけど、もうどう思われても気にしないわ。田中君も信じたくなければ信じなくていい」

それにしても、将軍の家来と漠然と思っていただけで、旗本の仕事の具体的な中身など考えたこともなかった。その何分の一かが「ぶらぶらしているだけ」というのには驚かされた。

「口ではいろいろ申したが、拙者にはよく分からぬながらあれほど激しく、懸命に働いておられるひろ子殿に、うらやましい気持があったのでござるよ。ここのところまったく有頂天になっておったのも、裏返しでござったろうな。勤めの喜び、認められる喜びというもの、拙者、こちらに来てはじめて知り申した」

「ほんとにご免なさい。オレがこんなことしなかったら、やすべえさん、まっぴら将軍の人にも会えたんだよね」

友也はだんだんに自分のしたことの重大性が身にしみてきたらしく、しょんぼりしていた。

「いや、友也殿にもいろいろ教えられたでござる」

「オレが？　何を？」

「はは、教えてくれたではござらぬか。ポケモンのゲームとか、ずいぶん難しいことを」

きょとんとした友也に安兵衛は言った。

「これからもずっと拙者と遊んで下され」

「もちろんだよ。これからもずっと、オレ、やすべえさんと遊ぶよ」

「剣の稽古もまたはじめねばの」

「うん」

「帰ったら、友也殿だけのためのケーキを作って進ぜよう。何がようござる。ショートケーキ？　ミルフィーユ？　それとも何か果物のタルトにいたそうか」

「オレ、プリンがいいな」

「そんな簡単なのでよいのでござるか」

「うん、オレ、プリンが大好きなんだ。その中でもやすべぇさんのプリンが一番好き」

「分かり申した。さっそく明日にでもの」

二人のやりとりを、ひろ子は胸を高鳴らせながら聞いていた。そしておずおずと言った。

「それって、いつまでもこっちにいていいってことなの？」

「それが、拙者の生きる道のようでござる」

「私と――いっしょに？」

安兵衛は狭いシートの中で、身体を折り曲げた。

「ひろ子殿。どうかよろしゅう、お願いいたす」

こちらこそ――。

お辞儀し返す仕草で目が潤んでくるのを隠しながら、ひろ子は思った。

安兵衛には、もちろん抑えてはもらわないといけないだろうが、仕事を続けてもらおう。そして自分の仕事も減らそう。今のポジションのままでそうするのが無理なら、ヒラSEに戻してもらってもいい。できる範囲で、精一杯のやりがいを探そう。安兵衛と二人で家事をやろう。時々、どうしても仕事にエネルギーが必要な時は、人を頼むこともあるかもしれない。でも頼りきりにならないようにしよう。友也も含めた三人で、どういうやり方がいいのか、時間をかけて探ってゆこう。

そうだ、岐阜の家族にも安兵衛のことをきちんと話さなくては。いつ連れていけるだろう。信じても、信じてくれなくてもいい。どっちだって、安兵衛は現に、ここにいるんだから——。

10

巣鴨署からひろ子の携帯に電話があったのは、ちょうどそのそばを通りかかり、あと五分ほどでマンションにたどり着くという時だった。

「報告書？」

「そうなの。テレビで顚末《てんまつ》は分かってるんだけど、報告書作らなきゃいけないから、一応じかに話を聞かせてくれって」

捜索を頼んだ以上、そう言われれば断るわけにもいかなかった。

「じゃあ、警察、寄っていきましょうか」

田中が言い、運転手も「どうするんです？」と尋ねた。

「じゃあ、拙者だけここで降ろして下され。先にマンションに行っておるゆえ」

どうしても警察を嫌がる安兵衛はそう主張し、送ってから引き返すと言ったのも、これくらい歩けると断った。結局タクシーが停まったのはとみやの向かいまで来たところだった。

「鍵は開いたままのはずよ」

「何か買い物してまいろうか」

「いいわよ。今日はお寿司でもとるから」

苦笑してひろ子は答えた。信号の手前で降りた安兵衛は横断歩道を渡り、タクシーは少し先でUターンした。すれちがいざま安兵衛が片手を挙げた。ひろ子たちも手を振り返した。

安兵衛の足元に丸いものが光っていたような気が、あとから考えればしないでもない。大きな鏡みたいな感じだったかもしれない。月が映っていたのではないかと言われればそういうふうにも思える。うぃーんという音は――これだけははっきりなかったと言い切れるのだが。

しかしどこまでが記憶で、どこからが想像なのか、ひろ子自身よく分からない。ともかくその時は特段心をとめることもなく、巣鴨署に向かった。警察での手続きそのものは案外簡単に終わり、しゃべったことを簡単にまとめた紙にサインをすると、帰っていいと言われた。

「田中君も本当にありがとう。お寿司、上等のを奮発するわね」

「やすべえさんもお腹すかせてるよ」

友也はマンションに着くと、エレベーターに乗っている間ももどかしげに、部屋に駆け込んだ。

「やすべえさん!」

すぐあとにひろ子も田中といっしょに続いた。そして中をのぞきこんであれ? と思った。電気がついていなかったからだ。

やっぱり具合が悪くて、寝てしまったのだろうか。

「やすべえさん」

スイッチを押しながら、友也は奥に入ってゆく。

「いた?」

「ううん」

拍子抜けしたふうに首を振りながら友也が戻ってきた。ひろ子は留守番電話のランプが点滅しているのに気づいた。メッセージは泣きそうな声になったマネージャーからで、とにかく連絡してほしいと訴えていた。

「やっぱり買い物に行っちゃったのね。いいって言ったのに。作ってたら遅くなっちゃうし」

ひろ子はつぶやいた。そして電話帳をめくって寿司を四人前注文した。

「出前が来る頃には、きっと戻ってくるわよ」

　しかし予想は外れた。さらに三十分待っても、安兵衛は帰らなかった。どうしても待つと言い張った友也をなだめ、ひろ子たちは安兵衛の分を残して寿司を食べた。田中はほどなく帰った。その日、友也は多分一睡もしなかったと思う。夜通し布団の中で寝返りをうち、台所の蛇口から水が落ちたり、冷蔵庫がうなり出したりするかすかな物音に、びくりと身体を起こしたりした。そしてひろ子も、まんじりともしないで友也のそういう様子をながめていた。

　日曜日も安兵衛は帰ってこなかった。また一週間がはじまった月曜日も。火曜日も。マスコミは、六本木ヒルズでの安兵衛の活躍とその後の失踪を大々的に報じた。マネージャーは狂ったように安兵衛を捜しまわっていた。が、おそらくは相当なお金と人をつぎ込んだだろうにもかかわらず、何も分からなかった。彼はふっつりと消えてしまった。

　友也は、悲しむというより、魂を抜かれたみたいだった。三日後に、ひろ子は自分が見たと思ったもののことを話した。マスコミからも警察からも、改めてうんざりするほどの質問を浴びたひろ子だが、それについては、安兵衛の正体とともにいっさい触れずにいた。

「ママね、安兵衛さんは江戸時代に帰ったんだと思うの」

友也はうつむいてじっとソファのけばだちを見つめていた。

「友也もそうなんでしょう？」

返事はなかった。でもひろ子は、自分と同じくらいはっきりと、友也がそれを知っているのを確信していた。

「あれだけ捜して見つからなかったのにね」

長い沈黙のあとで、やりきれなさそうに友也はつぶやいた。

「いつかこうなることは決まっていたのよ」

ひろ子は言った。

「だから、安兵衛さんのこと、嘘つきって思っちゃだめ。分かるわね」

「思わないよ。思うわけないじゃない。でもさ――」

友也は口をへの字に曲げた。が、それはしばらく続いたあとで徐々に元通りになった。小さな頭がこくりと前に落ちた。

半年足らずのあいだに、いったいどれほどの涙をこらえただろう。しかし彼は立派にやってのけるようになった。安兵衛はこの時を見越して友也に教え聞かせていたのではなかったかとさえ思えた。

翌日から友也は保育園にまた通い、ひろ子も勤めに戻った。卒園式は、安兵衛が消えてちょうど一週間になる土曜日に予定されていた。三月も終わりが近かった。

当日、式の前に、卒園する年長児は合唱と劇をやった。友也はだれよりも大きな声で歌い、堂々と孫悟空のせりふを言った。

「友ちゃん、なんだかずいぶん大人っぽくなったね」

子供たちがいったん退場し、ホールが模様替えされているあいだ、ひろ子は保護者席で隣に座っていた平石佳恵に声をかけられた。

「そうね。ここんとこいろいろあったから」

「安兵衛さんがどうしてるか、ひろ子さん知ってるんじゃないの？」

ひじでわき腹を突っついてきた佳恵にひろ子は微笑んでささやいた。

「分かる？　やっぱり」

「なんなの。教えて」

「実はあの人さ、江戸時代からタイムスリップしてきた侍だったの。で、また江戸時代に帰っちゃったのよ」

佳恵は声を立てて笑った。

「面白い。うまいよひろ子さん」

「本当なのよ」

「最高」

そう言って佳恵はひろ子の肩を叩いた。

ひろ子は保護者席の隅っこに目をやった。そこに田中基彦がいた。彼はあれから、ちょっとでも安兵衛の代わりになれたらと言って、会社帰りに遊びに来てくれた。友也も少しずつ心を開きつつあるようだった。もっとも田中は、安兵衛がタイムトラベラーだったとは信じていない。病的な江戸時代マニアが突然正気に戻ってひろ子たちのもとから去った——それが彼の主張である。そうなのかもしれない。それならそれでいい。ただひろ子と友也にとって、安兵衛が江戸の侍だったことは、一点の曇りもない真実だった。

園長が壇に上ってきて保護者席のざわめきがやんだ。再び園児たちも席についた。司会の保育士が最初の園児の名を読み上げ、女の子が緊張気味に立ちあがった。何度も練習をしたのだろう。壇の中央まで進んで園長に一礼する。証書を受け取って後ろに一歩さがりまた一礼。そして今度は百八十度回転して保護者席のほうを向いた。

「大きくなったらお花屋さんになります」

この保育園の伝統になっている「大人になったらなりたいもの」宣言だった。続いて今度は男の子。

「大きくなったらサッカー選手になります」

野球選手。お医者さん。保育士。コックさん。

友也の番が来た。友也は、合唱や劇と同じように、一つの動作も間違えることなく、立派に証書を受け取った。くるりと振り向くと左手に証書を持ち、右手をブレザーのすそが跳ね上がるくらい高く挙げた。そして大きく息を吸った。

「大きくなったら、さむらいになります」

ホールを震わせるほどありったけの声で友也は叫んだ。大人たちは怪訝《けげん》な顔をした。くすくす笑う人もいた。でも友也は平気だった。ひろ子のあとを追うようにぱらぱらと拍手のあがったホールの中を、ひろ子に向かって駆けてきた。

「どうだった、ママ」

「とっても恰好よかったわ」

「でしょ？」

友也は満面の笑みを浮かべた。

＊

式のあとでひろ子と友也、田中は駅に向かった。池袋で丸ノ内線に、霞ケ関で日比谷線に乗り換えて、六本木の次、広尾で下車した。

安兵衛がそこに住んでいたと話した、麻布を歩いてみることをひろ子が提案したのである。田中も「まだ——」とか文句を言いながらついてきた。

駅の周辺は、インターナショナルスクールのせいだろう、外国人だらけだったが、有栖川公園から住宅街の中に入ってゆくと、意外なほど落ち着いた街並みで、どっしりした土塀の日本家屋が残っていたりした。

「やすべえさんの家って、どのへんだったんだろうねえ」

友也がつぶやいた。麻布、としか分からなかった。詳しく聞いておかなかったのが残念だったが今さらどうしようもない。しかし、このあたりならどこでもいいような気がした。百八十年前には今みたいな高級住宅地ではなかったのだろうが、きっと侍にふさわしい土地だったのだろうと思った。

安兵衛といっしょに暮らすことはかなわなかったけれども、ひろ子は考えていた通りに自分の降格を会社に申し出た。城崎敦士は目を剥いたが、受け入れられなければ辞めるとひろ子が言ったので、最終的にOKした。それからはかつてそうだったように田中と二人で小さなシステムを作っている。

これで本当によかったのかどうかは分からない。しかし、安兵衛がいてもいなくても、ベストのやり方をいつも探ってゆくしかないことに変わりはない。自分に言い聞かせるのは「焦らずに」、それだけだ。幸い今のところはうまく行きそうな予感がある。

それにしても、とひろ子は思いをはせた。安兵衛が江戸に戻ったのだとしたら、あれからどんな人生を送ったのだろう。それが気がかりだった。本来いるべきところに帰ったのなら、それは素直に祝福してあげたいと思う。けれど、こちらで知ってしまった仕事の喜び。それを向こうでも見つけることができただろうか。それこそうまく将軍の目にとまって、彼の気に入る役職をもらえてでもいたなら、言うことはないのだが――。

また和風の家があった。民家かと思ったら和菓子屋で、中で喫茶もやっているようだった。ちょうど一服したいと思っていたところだったので、三人はのれんをくぐった。大きなガラス窓に面した席につくと、その前に通りの桜並木の枝が一本伸びてきていて、ほころびかかったつぼみがよく見えた。

「来月は小学生なのよねえ」

「剣道の道具、いつ買ってくれるの」

友也が言った。

「そうね。今日、あとで行こうか。道場も紹介してもらわなくちゃいけないしね」

その時メニューを先に読んでいた田中が「へえ」と声をあげ、それをひろ子に見せた。

「これ、どんなのですかね。『名代　江戸阜凜』って」

「さあ？」

ひろ子は首をひねった。だいたい何と読むのか分からない。店の人を呼んで尋ねてみた。

「『ぷりん』です」

アルバイトらしいその女の子は言った。

「プリン？　和菓子屋さんなのに？」

「ええ。江戸時代からあるらしいんです。本当にプリンによく似てます。牛乳がなかったから豆乳でできてるんですけどね」

「このお店、江戸時代から続いてるの？」

「そうです。文政十一年だったかな」

三人は顔を見合わせた。

「何か、由緒とか知らない？」

それでしたらと、女の子は売り場のほうからパンフレットを持ってきた。目を落として、三人はいっせいに「あーっ」と叫んだ。

〈創業者　木島安兵衛〉

「すごい偶然でしょう？　何だか顔まで似てるみたいで、ここの旦那さん、遠い親戚かもしれない、手紙でも出してみるかなんて言ってたところだったんですけど……」

女の子の言葉は三人の耳を素通りしていった。似ているどころではない。ちょんまげ姿の安兵衛を知っているひろ子と友也には、肖像画の人物がまさにあの安兵衛だとはっきり分った。じゃがいものような河原石のような顔が、すっかり好々爺のそれになって微笑んでいる。

「やすべえさん、向こうでもお菓子屋になってたんだ」

パンフレットには次のような文章が載っていた。

〈古来、神隠しに遭いたる人多し。されど神の国のわざを持ちかえりたる者はまれなり。木島安兵衛、もと旗本なりしが、ひととせかき消すごとく行方知れずなりしのち、再び現れいでて士籍を脱す。皐凜なる菓子を製し、これを商いたり。人、神の菓子とこれを愛ず。はなはだ幽玄の味なればなり（木島家文書より）〉

「江戸皇凜」はほのかに甘く、しかし豊かなコクがあった。竹のさじですくうと愛らしくふるえ、舌触りはやさしく滑らかで、口の中でさわやかに溶けた。

「安兵衛さん、約束守ってくれたじゃない」

ひろ子が言うと、友也は「やすべえさん、やっぱり天才だね」とVサインをつくって見せた。

にぎやかさに何事かと思ったのだろう、奥から主人らしい中年の男性がちらりとのぞいてまたひっこんだ。その顔も安兵衛そっくりだった。

「ママ、見た？」

「孫の孫の、そのまた孫くらいかしらね」

「偶然です。どんなにすごい偶然でも、偶然は偶然なんです」

自分に言い聞かせるようにつぶやき続ける田中のそばで、ひろ子と友也の笑い声がはじけた。

解説

末國善己

タイムスリップをテーマにした作品は、SF作家だけでなく、浅田次郎、北村薫、東野圭吾、宮部みゆきなど錚々《そうそう》たる作家が手掛けている。時間旅行にタイムマシンを使うと科学的な根拠を説明する必要も出てくるが、タイムスリップならば主人公が理由も分からず時を超える巻き込まれ型のサスペンスになるので、科学的な知識に縛られることなく、アイディアと人間ドラマだけで勝負ができる。こうした懐の深さがあるからこそ、タイムスリップものは多くの作家を（そして読者を）魅了しているのではないだろうか。

それだけに、タイムスリップものには名作がひしめいているが、ここに新風を送り込んだのが、文政九（一八二六）年から一八〇年後の現代に迷い込んだ直参旗本を主人公にした本書『ちょんまげぷりん』なのである。

江戸時代から現代にやって来た人物を描いた作品といえば、北海道の高校教師が、松前藩の実態を調べるため蝦夷地《えぞち》に潜入したまま時を超えてしまった津軽藩士と出会う原田康子『満月』、古い屋敷に仕掛けられた謎《なぞ》の機械が、幕末の女性を呼び寄せてしまう梶尾真治『つばき、時跳び』などがすぐに思い浮かぶ。ただ、これらの作品が生まれ育った時空間が異なる男女のせつないラブロマンスを軸にしていたのに対し、本書は、江戸から来た武士と現代の女性という組み合わせを用意しながらも、一筋縄ではいかない展開を作り上げており、その完成度はベテラン作家二人と比べても遜《そん》色《しょく》ないほどである。

物語は、夫と離婚し、一人息子の友也を育てながらシステムエンジニアリング（SE）会社で働くシングルマザーの遊佐ひろ子が、和服にちょんまげ、刀を二本差した奇妙な男を目撃する場面から始まる。男は旗本の木島安兵衛を名乗り、道の真ん中に現れた井戸のようなものに引き込まれ、気が付いたら現代にいたという。安兵衛の話が真実であると確信したひろ子は、過去に戻る方法が分かるまで安兵衛の面倒を見ることを決める。

本書の魅力は、最後まで読者の期待をよい意味で裏切ってくれることにある。

現代にタイムスリップしてきた安兵衛は、テレビ、冷蔵庫、電話、温水洗浄器付きの洋式トイレといった江戸時代の人間には想像もできない最新テクノロジーを前に右往左往。そのドタバタ劇はとにかく笑えるのだが、こうした予定調和の展開が出てくるのは前半だけ。安兵衛は男尊女卑があたり前の世界から来たので、シングルマザーという江戸の規範からは逸脱しているひろ子と男女の役割や家事の分担をめぐって言い争うことになる。ここから深刻な対立に発展するかと思いきや、安兵衛は外で働くひろ子への気遣いと、窮地を救ってくれた恩義に報いるため家事と育児を担当すると言い出すのだ。

ここから慣れない家事に奮闘する安兵衛の姿がユーモラスに描かれるのだが、安兵衛は（恩義のためと言い訳をしながらも）驚異的なペースで家事を習得していく。もともと食い意地が張っていたためか、中でも料理には熱心で、ついにデザートまで手作りするようになってしまうのである。家事と育児から解放され仕事に専念できるようになったひろ子は順調にキャリアアップし、専業主夫となった安兵衛と理想的な家庭を築くと思いきや、著者は次々と意表を突くエピソードを繰り出していく。ラストにも大どんでん返しが用意されているので、詳細は実際に読んで確認していただきたい。

侍がスイーツ作りに熱中するというのは、いかにも小説らしいフィクションと思えるかもしれないが、江戸の人々の甘味への情熱を考えると、あながち荒唐無稽《こうとうむけい》ではないのだ。江戸中期になると砂糖の生産が本格化するが、砂糖は非常に高価で、庶民は駄菓子の原料にもなった発酵食品の麹《こうじ》や水飴《みずあめ》、天然素材の果実やはちみつなどで甘味を取っていた。

有名な長谷川平蔵の後を受けて火付盗賊改に就任した森山孝盛のエッセイ集『賎《しず》のをだ巻』には、田沼時代なので安兵衛の頃よりも約四〇年前になるが、菓子にまつわるエピソードが紹介されている。当時、新たに小普請組の組頭になると、同僚全員を接待しなければならなかった。しかも料理も酒も最高級品を出す必要があり、菓子は名店・鈴木越後の物と決まっていて、その費用は総額で四五両もかかったようである。ある時、永井求馬という武士が組頭になったので、前任者からの引き継ぎ通りに接待した。その後の会合の時、先日食べた菓子がどうも鈴木越後の味ではないとの話になり、求馬を呼んで詰問したところ、鈴木越後は高すぎるので、やはり評判の高い金沢丹後の菓子を使ったことを認めた。一同は「さればこそ越後にてはなかりけり。ようかん麁《あら》し、越後は中々細にて、さる味にてはなかりけり」と激怒、求馬を土下座して謝らせたというのである。

武士が菓子の味ひとつに目の色を変える世界から来たのだから、安兵衛が全身全霊をかけてデザート作りに邁進《まいしん》するのも、納得できるのではないだろうか。

やがて、テレビの「お父さんの手作りケーキコンテスト」で優勝した安兵衛は、甘いお菓子を作る名人なのに、「家事に心をもっぱらにせず、あれもしたいこれもしたいと、夢みたいなことばかり考えてえねるぎーを浪費しておるらしいのは看過できぬ。人には分というものがござる。分をわきまえて生きるのを、まことの人の道と申す」といった辛口のコメントで、子供に手作りのおやつを与えない専業主婦を堂々と批判するギャップもあって一躍時の人となり、ひろ子母子との間に大きな溝ができてしまうのである。

安兵衛の考え方は、江戸時代の武士が学んでいた儒教（特に朱子学）の名分論に基づいている。儒教では、主君と家臣、父親と息子、男と女などの関係は、生まれながらに天から与えられた役割なので、人は身分の違いをわきまえ、与えられた場所で責任を果たすことが最高の倫理とされていた。特に江戸時代は、君臣、父子、夫婦、長幼、朋友の関係を守ることを「五倫」と呼んで重視していた。安兵衛が何度も口にする「分」は、社会的な地位や立場によって守るべき道徳のことで、「分限」「分相応」と同じ意味である。

だが、安兵衛の発言を男尊女卑の肯定と考えるのは、早急に過ぎる。そのことは、当初「うち向きのことは女」と考えていた安兵衛が、必死に働くひろ子を見守るうちに、「時代の移り変わりらしいゆえ、拙者も、おなごが働きに出ることは百歩譲って容認いたす」と考えるようになることからも明らかだろう。

　共働きなのに夫が家事を手伝ってくれなかったことが離婚の遠因になったひろ子は、仕事と育児を両立したい、だから手の空いている時には夫にも家事を手伝って欲しいと考えている。それに対し安兵衛は、「うち向きのことは女、勤めに出るのは男と決まっているのでござる」とひろ子を批判するが、この対立は現代人と江戸の侍だから起こったというよりも、育児をしながら共働きをしている夫婦ならば、いつでも生じる可能性のある争いのはずだ。つまり家事を引き受けるようになった安兵衛は、家事をしないことをなじられた夫が一念発起して専業主夫になったら家族の形はどのように変わるのかをシミュレートした思考実験であり、社会諷刺《ふうし》になっているのだ。

　安兵衛の批判は、まず子供を叱《しか》らない、手伝いをさせない、家事や育児の手抜きする、自分探しをする専業主婦に向けられるが、それは女性を家に縛り付けることを意味しているのではない。自由が認められている現代社会で、専業主婦という道を選択しながら「分」を貫かない女性に疑問をぶつけているのである。さらに完璧《かんぺき》に家事をこなすスーパー主夫になった安兵衛の存在そのものが、暇があるのに家庭をかえりみない、子供との時間を作らない男性も一刀両断していくので、決して男性に甘いわけでもない。

安兵衛の言葉が男女を問わず耳に痛く、だからこそ心に響いてくるのは、安兵衛が単に儒教の哲学を振りかざして現代人を批判しているのではなく、責任とプライドを持って家事と育児に取り組んでいる男が語る筋の通った〝正論〟だからなのである。

終盤になると、安兵衛が侍らしからぬお菓子作りに熱中した真の理由が、甘い物が好きとか、ひろ子への恩義とか以上に、(ネタバレになるので、詳しく書くことはできないが)ただ働くこと、社会に認められるのが嬉《うれ》しかったということが分かってくる。

家事から解放されたひろ子はＳＥの仕事に専念できるようになり、ひろ子の頑張りは、やる気のなかった部下の田中基彦すらも変えていく。友也も安兵衛によってお手伝いの楽しさに目覚め、安兵衛が外で働くひろ子をうらやましく思っていたことが(このあたりも家事を女性に押し付けている男性には耳の痛いところだろう)、プロのパティシエになる原動力になっていくので、働くことの意義が本書の大きなテーマになっていることは間違いあるまい。

本書が『ふしぎの国の安兵衛』のタイトルで単行本として刊行された二〇〇六年は、正社員と契約社員・派遣社員などの非正規労働者の所得格差が深刻な社会問題になっていた。非正規労働者は給与が低いだけでなく、常に解雇の不安を抱え、将来の展望も見えにくいのだが、江戸時代の安兵衛は、直参旗本ながら実質的には非正規労働者に近い立場にあった。それだけに、手に職を付けた安兵衛がパティシエとして〝成功〟する物語は、希望を失っていた日本人に夢を与えてくれる心温まるファンタジーだったのである。

だが本書は、辛い現実を忘れさせてくれる現実逃避の物語ではない。労働が、単に金銭を得る手段ではなく、生き甲斐《がい》やアイデンティティーそのものであることを教えてくれるのはもちろん、武士の矜持《きょうじ》よりも働くことの楽しさを選択した安兵衛のように、一歩を踏み出す勇気があれば、人生など簡単に変えられることも示しているのである。

二〇一〇年の労働環境は二〇〇六年よりも悪化しているが、いつも前向きな安兵衛やひろ子、友也の姿に接すれば、働くことの面白さが再確認でき、明るく楽しい気分で本を閉じることができるはずだ。

（すえくに・よしみ／文芸評論家）

小学館文庫
好評既刊

美の旅人 スペイン編 Ⅱ
伊集院 静
ダリの仕事とは何だったのか？ スペイン絵画の鬼才の足跡を巡りカタルーニャ地方へ。読んで旅する文庫第2弾。

口中医桂助事件帖 幽霊蕨
和田はつ子
全焼した岩田屋の跡地には、幽霊が出るという。背後に蠢く黒幕の動きを、桂助が突き止める。シリーズ第9弾！

負け犬の街
ダニエル・デップ 岡野隆也／訳
覚醒剤、暴力、マフィア――ジョニー・デップの実兄が、虚飾の街ハリウッドを活写した、ハードボイルドミステリー。

パイプのけむり選集 旅
團 伊玖磨
作曲家であり優れた随筆家でもあった著者の、旅に関するエッセイばかりを集めた傑作選。解説は千住真理子さん。

ぼくたちと駐在さんの700日戦争 6
ママチャリ
累計30万部突破の人気シリーズ。ブログでの連載史上、もっとも議論を呼んだ「マリア様によろしく」を改稿して収録！

交渉人 THE MOVIE
大石直紀
米倉涼子主演で人気のTVドラマ「交渉人」が遂に映画化。スケールアップした高度1万メートルでの頭脳戦をノベライズ。

本書のプロフィール

本書は、二〇〇六年八月に、単行本「ふしぎの国の安兵衛」として小社より刊行された作品を改題して文庫化したものです。

ちょんまげぷりん

著者 荒《あら》木《き》源《げん》

二〇一〇年二月十日 初版第一刷発行
二〇一〇年四月三日 第三刷発行

編集人――稲垣伸寿
発行人――飯沼年昭
発行所――株式会社 小学館
〒一〇一―八〇〇一
東京都千代田区一ツ橋二―三―一
電話 編集〇三―三二三〇―五七二〇
販売〇三―五二八一―三五五五
印刷所――中央精版印刷株式会社

ISBN978-4-09-408467-2

小学館文庫